ワクワク!!

ローカル鉄道路線

◆著◆ 梅原 淳

南東北・北関東編

ゆまに書房

もくじ

はじめに

　全国に広大なネットワークをもつ鉄道は、それぞれがさまざまな役割を与えられて建設されました。人々が都市と都市との間を高速で移動する目的で整備されたのは新幹線ですし、大都市のJR、大手民鉄、地下鉄各社の路線は、都心部への通勤や通学の足となるためにつくられました。今日では少なくなりましたが、大量の貨物を運ぶためだけの目的で線路が敷かれた路線も工業地帯を中心に健在です。

　そのようななか、もともと人があまり住んでいない地域ですとか、過疎化が進んだ地域を行く鉄道も各地で見られます。終点がある程度の規模の都市にあり、途中は人口がまばらなところというのでしたらまだしも、乗っているうちにどんどん人の気配が薄れていく路線も少なくありません。

　もちろん、こうした路線も立派な役割を担って建設されました。交通の便が悪かった地域に鉄道を敷いて人々や物資の移動に役立てると同時に沿線の開発や振興を図るとか、沿線で産出される品々を大都市に出荷するためであるといった目的です。しかし、いま、ローカル線と呼ばれる鉄道の多くは、計画されていたときの役割を果たせなくなってしまいました。時代の変化に伴って果たすべき事柄が消えてしまったのです。沿線の開発や振興は成し遂げられ、人々や物資の移動はより小回りの利く自動車に取って代わったからといえるでしょう。

　本書では全国を「北海道・北東北」「南東北・北関東」「南関東広域」「北陸・信越・中部」「関西」「中国・四国・九州・沖縄」の6つの地域に分け、ローカル線を紹介することとしました。取り上げるにあたっては3つの点を重視しています。

　まずは今後の動向です。近い将来に営業が廃止されるような予定や動きが見られる路線は、やはり優先的に取り上げました。

　続いては旅客や貨物の輸送量です。少々専門的となってしまいますが、その路線の1kmにつき、1日当たりどのくらいの人数の旅客やトン数の貨物が通過しているかを基準としました。原則として旅客は4000人未満、貨物は4000トン未満の路線から選んでいます。

最後は路線のもつ特徴から判断しました。旅客や貨物の通過量が少ない点に加えて、たとえば、険しい峠越えが待ち構えているとか、延々と海沿いに敷かれているとか、ほかの路線にはない際立った特徴をもつ路線はやはり紹介しなければなりません。

　全線を通じて見れば旅客や貨物の通過量が多く、ローカル線とは考えられないものの、全国には同じ路線内でも一部の区間だけ極端に旅客や貨物の通過量が少ない路線が数多くあります。概してこのような区間は非常に際立った特徴をもつといえますので、できる限り紹介しました。

　本巻では山形県、宮城県、福島県の南東北地方、それから群馬県、栃木県、茨城県の北関東地方を通る路線を対象として紹介しました。今回対象とした地方には魅力に富んだ路線が数多くあり、すべてを取り上げられなかった点をご了承ください。なお、本巻で紹介した路線のなかには南東北、北関東の双方を通るものも多く、両地方の結びつきが強いことがわかります。矛盾したことをいいまして恐縮ながら、本書で紹介した路線の数々が今後変貌を遂げて、ローカル線でなくなることを祈りたいと思います。

梅原 淳

凡例
○本書で紹介した各路線についての状況は、2018（平成30）年4月1日現在のものです。ただし、旅客輸送密度は2015（平成27）年度の数値となります。旅客輸送密度の求め方は「年間の輸送人員×旅客1人当たりの平均乗車キロ÷年間の総営業キロ」です。
○文中で「橋りょう」とは、鉄道の構造物で川や海などの水場、それから線路、道路などを越えるもののうち、川や海などの水場を越えるものを指します。
○こう配の単位のパーミルとは千分率です。水平に1000m進んだときの高低差を表します。

01

JR東日本・JR貨物
羽越線

新津〜秋田間、酒田〜酒田港間　[営業キロ]274.4km

[最初の区間の開業]1912（大正元）年9月2日／新津〜新発田間
[最後の区間の開業]1924（大正13）年7月31日／村上〜鼠ケ関間
[複線区間]新発田〜金塚間、中条〜平林間、村上〜間島間、越後早川〜桑川間、越後寒川〜勝木間、府屋〜小岩川間、あつみ温泉〜羽前大山間、藤島〜本楯間、遊佐〜吹浦間、金浦〜仁賀保間、西目〜折渡間、道川〜下浜間
[電化区間]新津〜村上間／直流1500ボルト　村上〜秋田間／交流2万ボルト／50ヘルツ
[旅客輸送密度]2378人

秋田駅
酒田港駅　酒田駅
新津駅

ローカル線とはいえない、重要な路線

　JR東日本・JR貨物の羽越線は特急「いなほ」をはじめとする多数の旅客列車が運転されており、しかも貨物列車の本数も少なくはありません。ところが、2015（平成27）年度の旅客輸送密度を見ますと2378人で、本書で取り上げる基準とする4000人を下回ってしまいました。都市間を結ぶ特急列車を利用する人は多いものの、沿線の人たちが中心となる普通列車の乗車状況が芳しくないのでしょう。

　とはいえ、日本海側の路線としては依然として重要な地位を占めており、ローカル線といってしまうのは心苦しい限りです。本書で紹介したのは、ぜひとも羽越線の置かれた環境、そしてその魅力を理解してほしいからで、本書を読んで一人でも多くの人がこの路線を利用して旅客輸送密度の向上に結び付くことを期待します。

🔴新潟〜酒田・秋田間を白新線、羽越線経由で結ぶ特急「いなほ」が庄内平野を行く。後方にそびえるのは出羽富士とも呼ばれる鳥海山だ。＊

○羽越線の起点、新津駅で普通列車が出発を待つ。普通列車用の交直流電車が配置されていないため、直流、交流の双方の区間を直通する列車には写真のようにディーゼルカーが用いられる。*

羽越線は新潟県新潟市秋葉区にあり、JR東日本信越線や磐越西線の新津駅を起点とし、秋田県秋田市にあるJR東日本奥羽線の秋田駅を終点とする長さ271.7kmの路線、そして酒田駅から分かれて酒田港駅までの2.7kmの枝線とを合わせた274.4kmの路線です。新津駅と新発田駅との間の26.0kmが1912（大正元）年9月2日に最初に開業して以来、村上駅と鼠ケ関駅との間が1924（大正13）年7月31日に開業して全線の開業を果たすまで、羽越線は実に19回に分けて細かく開業しました。一度に完成しなかったのは建設に際して難工事に見舞われた区間が多かったからです。国有鉄道を運営していた当時の内閣鉄道院やその後身の鉄道省が少しずつでも開業させていったのは、それでも営業を始めなくてはならないと考えたほど、重要な路線であったのだといえるでしょう。

新津駅は南北方向に線路が敷かれ、信越線は南北に貫き、磐越西線は南側に向けて、羽越線は北側に向けて、という具合に列車がそれぞれ発着していく駅です。北に向かって出発した羽越線の列車は、左側にJR東日本新津運輸区という車両基地を横目に見ながら約500m走ったところで信越線とはYの字型に分かれて東側、つまり右へと曲がります。周囲は平地ながら、列車は築堤を駆け上がり能代川を渡り、新津の市街地は早くも途切れました。

さらに2kmほど進みますと、今度は阿賀野川橋りょうで阿賀野川を渡ります。この橋りょうの長さは1229mあり、JR東海の東海道新幹線の新富士駅と静岡駅との間にある長さ1373mの富士川橋りょうに抜かれるまで、全国最長の鉄道の橋りょうでした。ちなみに、現在最も長いのは、JR東日本の東北新幹線の一ノ関駅と水沢江刺駅との間にある第一北上川橋りょうの3868mです。

列車は京ケ瀬駅を出ると東北東から北東へと向きを変え、直線が多く、ほぼ平らな水田地帯を突っ切っていきます。新発田駅では新潟駅方面へと向かう白新線と合流し、ここから先は9.3km先の金塚駅まで複線区間です。羽越線は単線区間と複線区間とが複雑に入り組んでいます。列車の本数が多いために全線を複線にしたいものの、地形や資金の制約によって部分的にしか複線となっていません。それでも、列車の行き違いを駅ではなく、複線区間で行いたいという理由から、線路の増設は細かく行われました。詳しくは冒頭のデータ欄をご覧いただきたいのですが、全国の路線のなかで奥羽線とともに最も入り組んでいます。

日本海の厳しさと絶景

駅周辺が市街地、それ以外の区間は水田地帯という景色は村上駅まで。ここからいよいよ日本海の厳しい自然が羽越線に襲いかかるのです。村上駅を出て北北西方向に三面川を渡った列車はすぐに左にカーブし、大平、瀬波、御多岐と3カ所のトンネルを通り抜けますと、列車の左側に日本海が姿を現します。日本海を左に見ながら北上しますと、右側から新津駅方面の上り線の線路が近づいてきました。時代が下って1967（昭和42）年10月14日に使用を開始した新たな上り線の線路は海岸線沿いを行かず、長さ2333mの村上トンネルで一気に通り抜けてしまうのです。下り線が海沿い、上り線がトンネルという区間はこの先も各所で見られます。

これまで列車の右側は朝日山地、左側は狭い平地に築かれた市街地、そしてその先は日本海というなかを進んできました。桑川駅を出ますと、朝日山地はいよいよ海岸へと迫り、羽越線の線路はすぐ左側を行く国道345号とともに海岸沿いまで追いやられます。桑川、魚見山、笹川と3カ所のトンネルを出たら、

日本海に注目してください。波で浸食された岩が海上に多数並ぶという、荒々しさのなかに美しさをたたえた景色が見られます。ここは笹川流れという名勝地です。桑川駅から徒歩15分のところでは遊覧船が発着しています。

単線区間にあって行き違いが可能な今川駅を出ますと、柴山、根与木、第一と第二との宝来山と長さ100m前後の短いトンネルを4カ所通り抜け、長さ257mの脇川トンネルに入ります。断崖絶壁の場所にある脇川トンネルの建設は、難工事続きであったこの区間のなかでも最も大変でした。地質が極めて軟弱であったため、1922（大正11）年7月にはトンネルの一部が崩壊するという事故に見舞われたほどです。脇川トンネルが完成したことでようやく羽越線は全線開業にこぎ着けることができました。

建設工事に手間を要したうえ、開業後も強風に高波、塩害にほんろうされるなど、日本海に面した村上駅と三瀬駅との間の63.8kmの区間は苦労が絶えません。とはいえ、絶景が続くことも確かで、羽越線には日本海の眺めを楽しめる観光列車の「きらきらうえつ」が新潟～酒田・秋田間を白新線、羽越線経由で結んでいます。

三瀬駅を出ますと列車は日本海から離れ、次の羽前水沢駅を出ますと広大な庄内平野にたどり着きました。線路の周囲は見渡す限りの水田地帯で、余目駅で陸羽西線と合流して酒田駅へと至ります。

酒田駅から吹浦駅までの19.2kmも引き続き庄内平野です。吹浦駅からは再び日本海沿

○名勝地、笹川流れを行く普通列車。崖が海岸まで迫る地形であるため、建設の際は難工事となり、笹川流れが見える区間の開業時期は羽越線で最も遅い。今川～越後寒川間*

いとなりますが、村上〜三瀬間と比べますとやや内陸を通っています。何よりも山の迫り方が異なり、断崖絶壁とまではいきません。

　なおも進みますと象潟駅に到着します。象潟は松尾芭蕉が『おくのほそ道』で訪れた最北端の場所で、芭蕉は宮城県の松島のように海上に島々が浮かぶ象潟の眺めを楽しみました。

　しかし、1804（文化元）年に起きた大地震で象潟付近の海底が隆起して陸地となり、景勝は失われます。象潟駅を出発してすぐに列車の右側を注目してください。水田に混じってあちらこちらにごく小さな丘が点々と見えるはずです。これらの丘こそがかつての島々で、水田地帯は海であったのです。仮にいまも象潟が海であったら、果たして羽越線はどこを通っていたでしょうか。

　西目駅と羽後亀田駅との間の20.6kmの区間が内陸、その他は日本海沿いという行程をたどり、桂根駅で日本海と別れます。新屋駅からは秋田市の市街地となり、長さ600mの雄物川橋りょうを渡ると終点、秋田駅です。

○新潟〜酒田・秋田間で運転されている観光列車の「きらきらうえつ」。日本海の眺めを楽しみながら、地元の名産品を味わえる。小岩川〜あつみ温泉間*

○羽越線のもう一つの主役は、多数運転されているJR貨物のコンテナ貨物列車だ。関西と東北・北海道とを結ぶ列車が多いなか、福岡貨物ターミナル〜札幌貨物ターミナル間という列車も運転されている。著者撮影

○象潟は松尾芭蕉も訪れた名勝地である。写真に見える水田部分は当時は海であった。

02

JR東日本
いしの まき
石巻線
こごた おながわ
小牛田～女川間　[営業キロ]44.7km

[最初の区間の開業]1912（大正元）年10月28日／小牛田～石巻間
[最後の区間の開業]1939（昭和14）年10月7日／石巻～女川間
[複線区間]なし
[電化区間]なし
[旅客輸送密度]1267人

小牛田駅　女川駅

平坦な水田地帯を行く

　JR東日本の石巻線は小牛田駅から石巻駅を経て女川駅へと至る路線です。小牛田駅はJR東日本の東北線、同じく陸羽東線の列車がそれぞれ発着しています。終点の女川駅を発着するのは石巻線の列車だけです。

　小牛田駅を出発しますと石巻線の普通列車はまずは北に進み、250mほど走ってから東北線や陸羽東線と分かれて東北東に進路を取ります。市街地はすぐに終わり、線路の周囲はほぼ水田だけという状況です。仙台平野の北側ということもあり、線路はほぼ平坦で、

●石巻線の起点、小牛田駅はJR東日本の東北線や陸羽東線の列車も発着する鉄道の要衝だ。

直線基調と、ディーゼルカーがスピードを出して走行するには打ってつけの条件といえるでしょう。

　途中で東、そして東南東に向きを変えた列車が上涌谷駅を過ぎますと、まずは列車の左側に市街地が現れます。やがて列車の両側に住宅が建ち並ぶようになり、涌谷駅に到着です。

　涌谷駅を出た列車の車窓には再び水田地帯が広がります。それでも多少の変化はありまして、しばらく行きますと花勝山というごく低い山のすそ野を通るために切り通しの区間が現れました。再び水田地帯を走った後、金属を箱型に組み立てた桁の橋で出来川を渡り、そのまま東南東に真っすぐ進んで今度は目の前に横たわる丘陵を長さ133mの鳥谷坂トンネルで通り抜けます。

　鳥谷坂トンネルを抜けても直線は変わりません。水田地帯を進んだ後、前谷地駅に到着です。この駅はJR気仙沼線の起点ですが、構内はあまり広くありません。

　前谷地駅を出発しますと、北東側、つまり

○石巻駅で顔を合わせた石巻線の普通列車（写真左）と仙台駅から東北線、仙石線を経由してやって来た仙石東北ラインの普通列車（写真右）

列車に対して左側へと分かれる気仙沼線を見送り、石巻線の列車はわずかに向きを変えながらも直進します。再び水田地帯のなかを進みながらも、列車の前方に小高い丘が見えてきました。標高37ｍの佳景山です。

列車は佳景山を左側に避け、山すそが線路のすぐ南側、つまり列車の右側まで迫ってきたあたりでプラットホーム1面だけの駅に停車します。この駅の名も佳景山駅です。

東へ向かって走り続けてきた列車は、鹿又駅を出ますと南に向きを変えます。線路の周囲が水田地帯という状況はその後も変わりはありません。平らな台地をほぼ真っすぐに南下し、市街地が目立つようになったころ東に向きを変えて石巻駅に到着します。

石巻駅のある宮城県石巻市は人口約14万人余りと、県内では仙台市に次ぐ都市です。太平洋に面していて、漁業が盛んなほか、海岸沿いに築かれた工業地帯には製紙工場ですとか製鉄所などが建ち並んでいます。

この後の陸羽東線のページでも説明しますが、石巻線は太平洋側の石巻市と日本海側の山形県酒田市とを結ぶ東北横断路線として建設されました。しかし、人々の移動に関していえば石巻駅と酒田駅との間を行き来する人の数は少なく、実際には小牛田駅から宮城県の県庁所在地で代表駅である仙台駅方面、さらには東京方面との人や物資の輸送が主な役割となり、いまも変わっていません。

ところで、仙台駅と石巻駅との間の鉄道は同じJR東日本の仙石線によっても結ばれています。仙石線は2015（平成27）年度の旅客輸送密度が1万8879人という輸送規模をもつ大都市圏の通勤路線です。仙台〜石巻間は、仙石線経由ですと48.5km、東北線と石巻線とを小牛田駅で乗り換えて行きますと71.1kmと22.6kmも大回りとなります。残念ながら仙台市と石巻市との間を行き来する人々の大多数は仙石線を利用しており、石巻線はかないません。

女川駅は、場所も駅舎も一新

石巻線の小牛田〜石巻間には貨物列車が運転されています。小牛田駅からの貨物列車は石巻駅から仙石線に乗り入れ、1駅、1.4km先の陸前山下駅からさらにJR貨物の仙石線を1.8km走って石巻港駅が終点です。旅客列車で混み合っているとはいえ、これらの貨物列車も仙石線経由で走らせたほうが効率的に思えますが、予定は立てられていません。

その理由は仙石線の仙台駅の構造にあります。仙石線はもとは私鉄の宮城電気鉄道で、戦時中の1944（昭和19）年5月1日に国有化されました。このため、仙台駅を通る東北線とは線路が結ばれていないのです。大都市の都心部にある仙台駅を改築するのは大変ですので、石巻線が活用されています。なお、東北線の松島駅と仙石線の高城町駅との間を結ぶ東北線の枝線、通称仙石東北ラインが2015（平成27）年5月30日に開業しましたが、貨物列車をけん引する電気機関車が乗り入れできないので、引き続き石巻線が用いられることとなりました。

石巻駅を出発した列車は再び東に進み、北上川を渡りますと陸前稲井駅です。このあたりから景色は線路脇に背の低い木が立ち並び、それらの先に水田と変化してきました。

陸前稲井駅と次の渡波駅との間は、長さ623mの大和田トンネルを頂上として峠越えとなります。山道とはいえ、上り下りとも20パーミルの坂道は直線が続いており、ディーゼルカーのスピードはいままでとあまり変わりません。時速80kmほどで通り抜けていきます。

沢田駅を出ますと、列車の右側に海が見えてきました。太平洋が大きく入り組んで形成された石巻湾のそのまた奥にある万石浦です。万石浦は石巻湾の一部が牡鹿半島に封じこめられた形状となっており、海跡湖と呼ばれます。海苔やアサリ、カキの養殖が盛んで、1960（昭和35）年までは石巻線の列車から塩田を見ることもできたそうです。

浦宿駅を出ますと20パーミルのこう配を

○石巻線小牛田〜石巻間には、JR貨物のコンテナ貨物列車も運転される。コンテナ貨物列車は、石巻駅から仙石線に乗り入れて石巻港駅を目指す。*

○石巻線随一の景勝地といえば万石浦。石巻湾の海岸線は線路すれすれまで迫る。万石浦〜沢田間*

●浦宿駅は石巻湾とほぼ同じ高さに設けられた駅だ。*

もつ上り坂が始まります。線路の周囲は市街地ですので、あまり峠越えという趣は感じられません。民家が姿を消し、山を削ってつくった切り通しと呼ばれる谷間が現れたあたりが峠です。こう配が18パーミルの下り坂が始まってすぐに長さ640mの女川トンネルに入ります。

トンネルを抜けますと、斜面に張られたコンクリート、それに列車の足元にあたる線路が真新しいことに気づくでしょう。全線にわたって東日本大震災の被害を受けた石巻線のなかでも、浦宿〜女川間は特に津波によって大きなダメージを受けました。

終点の女川駅は2015年3月21日の復旧にあたり、それまでの駅から200m内陸に移され、標高も4mであったところ、土が盛られて11〜15mの高さとなって安全性が高められています。これまた真新しい駅舎には温泉施設の女川温泉ゆぽっぽが併設（へいせつ）され、一風呂浴びれば旅の疲れもいやされるでしょう。

●東日本大震災の津波によって浦宿〜女川間は最後まで不通となり、暫定的に浦宿駅が石巻線の終点となった。

●復旧に伴って高台に移設され、また女川温泉ゆぽっぽも併設された女川駅*

03

JR東日本 磐越西線

郡山〜新津間　[営業キロ] 175.6km

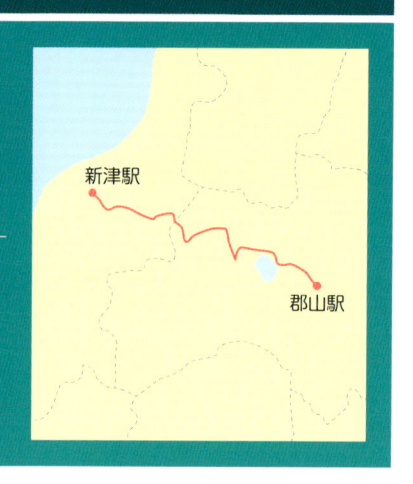

[最初の区間の開業] 1898 (明治31) 年7月26日／郡山〜中山宿間
[最後の区間の開業] 1914 (大正3) 年11月1日／野沢〜津川間
[複線区間] なし
[電化区間] 郡山〜喜多方間／交流2万ボルト／50ヘルツ
[旅客輸送密度] 1877人

路線名には旧国名の名残をとどめる

JR東日本の磐越西線はJR東日本東北線の郡山駅を起点とし、やはりJR東日本の信越線の新津駅を終点とする175.6kmの路線です。線名の「磐越」とは旧国名の磐城と越後とを結ぶことから名付けられました。とはいえ、終点の新津駅は越後のエリアに含まれていますが、郡山駅は磐城ではなく、岩代となります。磐城を通るのは常磐線のいわき駅を起点とし、郡山駅を終点とする磐越東線です。

郡山駅は南北に線路が敷かれており、磐越西線の列車は逢瀬川を渡りながら北西へと向きを変えます。喜久田駅までは郡山市の市街地を走り、やがて周囲に水田が目立ちはじめ

るなか、列車の前方にはこれから目指す磐梯朝日国立公園の山々が迫ってきました。

上り坂は喜久田駅を出ると本格的に始まり、磐梯熱海駅の手前でのこう配は25パーミルと険しさを増していきます。磐梯熱海温泉への玄関口である磐梯熱海駅を出ますと、磐越西線は本格的な山岳路線へと変わります。中山宿駅と上戸駅との間に設けられた沼上信号場という列車同士の行き違い場所までの約10kmにわたって、ほぼ25パーミルのこう配の上り坂に挑まなくてはなりません。

磐梯熱海駅から5.4km先に設けられた中山宿駅は25パーミルのこう配の途中にありま

スイッチバックが設けられていた旧・中山宿駅は、いまでは観光地として親しまれている。朝日新聞社提供

磐越西線のうち、郡山〜喜多方間は交流で電化されている。写真は主に普通列車に用いられるJR東日本の719系交流電車

す。いまでこそ電車は上り坂からの発進を苦もなく行えますが、蒸気機関車の時代はそうではありませんでした。この駅はかつては平らな場所にプラットホームを置き、列車が通常走る本線からいったん折り返してから停止するという、スイッチバック方式が採用されていました。中山宿駅のスイッチバックは1997（平成9）年3月に廃止となりましたが、かつてのプラットホームの跡は残されていて、駅のある福島県郡山市は観光地としてPRしています。

こう配こそ急なものの、比較的カーブが少なく、またうっそうとした木々におおわれていない山道を登り詰めますと、すぐには下り坂にはなりません。上戸駅と臨時駅の猪苗代湖畔駅（こはん）との間で列車の左側にわずかに見える猪苗代湖があることからもわかるように、しばらくの間は平らな場所を走るのです。線路の周囲に広がる景色はおおむね水田で、列車の右側やや前方には会津富士とも呼ばれる標高1816mの磐梯山が姿を現します。急坂（きゅうはん）が終わって西北西、そして北、次いで西へと向

きを変えたところで猪苗代駅に到着です。

猪苗代駅のある福島県猪苗代町は世界的な医学研究者であった野口英世（のぐちひでよ）の生誕地として知られています。野口の功績をいまに伝える野口英世記念館は駅から直線距離で約3km西南西の猪苗代湖畔にあり、バスで10分ほどの道のりです。

直線で平坦（へいたん）が続く水田地帯の光景は翁島（おきなしま）駅でいったん見納めとなり、坂を下っていきます。こう配は翁島駅から4.5km先の更科（さらしな）信号場を過ぎると25パーミルといっそう急となりました。山道とはいえ、線路の周囲に立

ち並ぶ木々の背は比較的低く、割合遠くまで見渡すことができるでしょう。

　急な下り坂は広田駅で終わり、南に向けて走る列車の周りには水田が広がります。国道49号が線路の上を立体交差となるあたりで右側から線路が現れました。この線路は新津駅方面から来た磐越西線の線路でして、つまりこれから向かう先でもあります。2本の線路はおよそ1kmに渡って並走し、会津若松駅に到着です。

　会津若松駅を通り抜ける磐越西線の列車は必ず折り返さなくてはなりません。そのいっぽうで、会津若松駅を終点とする只見線は、あたかも同じ路線であるかのように、磐越西線とそのまま直通できる向きで進入します。このような構造となった理由は不明です。会津若松駅から新津駅へと線路を建設した際、

○会津若松駅は沿線最大の都市、福島県会津若松市を代表する駅だ。駅前には会津戦争の際に活躍した白虎隊士の像が建てられている。＊

いまは福島県喜多方市の喜多方駅を通るか、それともいまは福島県会津坂下町の只見線会津坂下駅を通るかがなかなか決まらなかったといいます。一時は会津坂下駅を経由するルートが有力であったためにこのようなつくりとなったのではないでしょうか。

阿賀野川を5回渡る

　南向きから北向きへと変えて会津若松駅を出発した列車は、郡山駅方面の線路と分かれると北北西へと一直線に進みます。周囲は一面の水田です。会津豊川駅を過ぎ、田付川を

○蔵の街として知られる福島県喜多方市の玄関口だけに、喜多方駅の駅舎も蔵を模したつくりをもつ。＊

渡りますと市街地が姿を見せ、西に進路を変えますと、電化区間の終端、喜多方駅となります。

　喜多方駅を出てしばらくしますと山道を進み、山都駅からはところどころで列車の左側に幅100mはある川が姿を見せました。福島県内では阿賀川、新潟県内では阿賀野川と呼ばれる川です。線路は川がかたちづくった狭い谷間を進んでいきます。全体的な傾向として下り坂となっておりますが、こう配は急ではありません。列車の窓から見える川の流れがゆったりとしていることからもわかるでしょう。

　荻野駅と尾登駅との間で阿賀川を渡りま

●会津若松〜新津間には、蒸気機関車がけん引する観光列車「SLばんえつ物語」が運転されている。上野尻〜徳沢間*

す。鉄橋の名は阿賀野川釜ノ脇橋りょうといいまして、鋼鉄をアーチ状に組み立てた曲弦トラスという桁のなかを通り抜ける構造です。

尾登駅を過ぎてから上野尻駅を出てしばらくの間は平地となり、水田の中を列車は進みます。その後は再び谷間です。針葉樹や広葉樹が生い茂るなかを右へ左へと進みます。

徳沢駅を出てすぐのところで再び阿賀川を渡り、ちょうどこのあたりが県境で、渡り終えると新潟県です。いま通った阿賀野川徳沢橋りょうは阿賀野川釜ノ脇橋りょうと同じつくりの曲弦トラスが架けられています。

日出谷駅を出ますと阿賀野川当麻橋りょうが現れまして、阿賀川、阿賀野川を渡るのは3度目です。川は列車の右側に移動し、長さ2006mの平瀬トンネルをくぐると阿賀野川深戸橋りょうで阿賀野川を渡って、川は列車の左側に移りました。

阿賀野川深戸橋りょうも、阿賀野川釜ノ脇、阿賀野川徳沢の両橋りょうと同じ曲弦トラス

が架けられています。なお、阿賀野川深戸橋りょうの曲弦トラスは1983（昭和58）年に架け替えられました。新たに設置された曲弦トラスは実は新品ではなく、いまはえちごトキめき鉄道妙高はねうまラインとなった信越線の妙高高原駅と関山駅との間の白田切川橋りょうに架けられていたものです。実は曲弦トラスそのものは信越線用に製造されたものではありません。後ほど大船渡線のところで紹介するとおり、この路線の北上川橋りょうとして製造されたところ、災害の復旧用として急きょ転用され、信越線に複線化の計画があったために単線用の曲弦トラスは再び移設されて磐越西線にやって来たのです。

三川駅と五十島駅との間で阿賀野川を渡ること5回目。谷間はしばらく続きますが、馬下駅からは広大な越後平野に入ります。周囲は一面の水田です。やがて市街地が現れ、列車の向きは西寄りから北寄りへと変わり、終点の新津駅に到着しました。

04

JR東日本
只見線
小出〜会津若松間　　[営業キロ]135.2km

[最初の区間の開業]1926（大正15）年10月15日／会津坂下〜会津若松間
[最後の区間の開業]1971（昭和46）年8月29日／大白川〜只見間
[複線区間]なし
[電化区間]なし
[旅客輸送密度]321人

会津若松駅

小出駅

45年かけて念願の開業を果たす

　JR東日本の只見線はJR東日本上越線の小出駅を起点とし、同じくJR東日本磐越西線の会津若松駅を終点とする135.2kmの路線です。列車の運転に当たり、JR東日本は小出駅行きの列車を下り列車、会津若松駅行きの列車を上り列車という具合に、起点を会津若松駅、終点を小出駅として扱っています。

　只見線の全線が開業に至るまで、実に45年の歳月を費やしました。太平洋戦争を間にはさんだからですとか、山あいであるとか豪雪地帯であるために建設工事が難しかったからですとか理由はいろいろとあげられます。しかし、根本的にいえば沿線の人口が少なく、多くの利用者が見こめないために他の路線と比べて建設が後回しにされてしまったのです。

　全線開業までの期間が長いだけに、只見線

◎アーチ橋の第一只見川橋りょう（長さ174m）を普通列車が渡る。会津西方〜会津桧原間＊

○1959（昭和34）年に完成した田子倉ダムは幅462m、高さ145mの重力式コンクリートダムで、最大で40万kWの水力発電も行う。*

はとても複雑な歴史を積み重ねてきました。早く列車に乗りたいのはやまやまでしょうが、この路線の歴史を知っていると、旅の楽しみはさらに深まることでしょう。

　只見線は会津若松駅側から開業しました。会津若松駅と会津坂下駅との間の21.6kmが1926（大正15）年10月15日に開業したのを皮切りに、1928（昭和3）年11月20日には会津柳津駅まで、1941（昭和16）年10月28日には会津宮下駅まで、1956（昭和31）年9月20日には会津川口駅まで、1963（昭和38）年8月20日には只見駅までそれぞれ開業しています。いまあげた只見～会津若松間は、1971（昭和46）年8月29日に大白川駅と只見駅との間が開業して全線の開業を果たすまで、会津線と呼ばれていました。

　小出駅側は小出駅と大白川駅との間の26.0kmが1942（昭和17）年11月1日に開業します。残る大白川～只見間は1971（昭和46）年8月29日の開業です。

　ところで、只見～会津川口間、それから只見駅から小出駅側に4.6km行ったダムサイドと呼ばれる場所までの間は、1963年の開業前にも列車が運転されていました。実はダムサイド～只見間は、沿線にある田子倉ダム、そして併設の田子倉発電所という水力発電所を建設するための資材を運ぶための鉄道として整備され、1957（昭和32）年8月から1961（昭和36）年12月まで使用されたのです。この区間はダムや発電所が完成したときには国鉄の路線に編入されることが決められており、

1963年8月から改めて国鉄の旅客列車が走るようになりました。

　上越線の線路が南東から北西へと敷かれている小出駅で、只見線の普通列車が発着するプラットホームの位置は一番東側です。列車は北西に向けて出発しますと、上越線のプラットホームがまだ左側に見えているうちに右に曲がって分岐を始め、カーブが続いている途中で魚野川を渡ってしまいます。

　東北東に向きを変えた列車のはるか前方に越後山脈の山々が姿を現しました。行く手の険しさを物語るようで、実際に只見線の旅の大半は山道です。それでも、小出駅から19.6km先の入広瀬駅までの間は上り坂が続くものの、線路の周囲には水田が広がるという魚沼盆地の光景が続きます。

　入広瀬駅を出ますとそれまでの景色が一変してしまい、周囲を見ますと、列車の近くは主に広葉樹、奥には針葉樹が生い茂る林ばかりです。線路は破間川に沿って進み、徐々に平らな場所は狭められていきます。人家は入広瀬駅から3kmほどのところにある柿ノ木という場所でしか見られず、大白川駅の周りにも見当たりません。

全線復旧は2021年度の予定

ところで、小出～大白川間が開業した1942年といえば太平洋戦争のまっただ中で、国有鉄道を管理していた当時の鉄道省には旅客の少ない路線を整備する余裕はありませんでした。只見線の場合、1935（昭和10）年に着工となった只見線の会津川口～会津宮下間の建設工事は、太平洋戦争の激化によって1945（昭和20）年5月に打ち切られ、戦後になって建設工事が再開されています。

にもかかわらず、小出～大白川間が開業を果たせた理由は、大白川駅近くの末沢というところで産出される珪石を輸送する必要が生じたからです。耐火レンガの原料となる珪石は国防上大切な資源で、しかも末沢での珪石の埋蔵量は数千万トンと予想されました。これらを鉄道以外の方法で運ぶことはできないとして、この区間を優先して建設されたのです。

大白川駅を出ますと、山はさらに深くなりました。今度は末沢川に沿って進みます。ところどころで上部が鋼鉄製の屋根、下の部分が明かり取り用に素通しとなった、トンネル状の施設を通過するのに気づくでしょう。こ

れは雪覆いといいまして、大白川～只見間だけでも21カ所、延べ1406mも設けられています。雪覆いは文字どおり線路を雪から守るためのものです。このあたりでは冬になると4mほどの積雪に見舞われるという全国でも有数の豪雪地帯で、雪との闘いが想像できます。

末沢川沿いの谷間はいよいよ細くなり、上り坂のこう配もところどころで25パーミルと急になってきました。線路は走行可能な場所を求め、この川を何度も渡るように敷かれています。小出駅側から第○末沢川橋りょうと名付けられた橋りょうは第16までの16カ所です。最後の第16末沢川橋りょうを渡った直後、列車は長さ6359mと、只見線最長の六十里越トンネルに進入します。

六十里越トンネルを入ってから4kmほどのところが峠で、同時に標高520mと只見線で最も高い地点です。下り坂となってこのトンネルを出た後も雪覆い、その後続く長さ3712mの田子倉トンネルなどによって、なかなか景色を眺めることはできません。列車がようやく外に出ますと線路の周囲に水田が広がり、遠くに高い山々が連なる姿が現れます。ほどなく列車は只見駅に着きました。

只見線は2011（平成23）年7月26日に新潟県や福島県を襲った豪雨によって橋りょうや路盤が流される被害が相次ぎ、2018（平成30）年4月1日現在でも只見～会津川口間が不通となっています。復旧は2021年度中とのことで、いまは代行バスが運転中です。しばらくは乗ることができないので、只見線の旅は

○大白川駅に停車中の普通列車。かつて駅の周辺で採掘されていた珪石を鉄道で輸送するため、大白川駅構内には積みこみのための施設が設けられていた。*

○只見川に沿って開けた福島県金山町の大志集落を普通列車が通り抜ける。会津川口〜会津中川間

会津川口駅から再開しましょう。

　会津川口駅は只見川に面しており、列車の左側には川幅が120ｍほどある大河とともに進みます。只見川を渡るのは会津中川駅と会津水沼駅との間の第四只見川橋りょうです。列車の右側を流れる只見川は早戸駅と会津宮下駅との間で逆転し、その後も会津宮下駅と会津西方駅との間、会津西方駅と会津桧原駅との間で只見川を渡り、そのたびに川が見える位置が変わります。

　ときには間近に、ときには離れて付き添っていた只見川とは会津坂本駅でお別れです。ここから峠越えがあり、坂を下ってその名のとおりの会津坂下駅に到着しますと、いままでとは打って変わって会津盆地の広々とした平地が現れます。

　水田やときに果樹園が広がる区間を快調に進み、会津本郷駅と西若松駅との間で阿賀川を渡りますと、会津若松市の市街地が現れました。西若松駅で会津鉄道会津線と合流し、終点の会津若松駅に到着します。

○雪に埋もれた会津川口駅に普通列車が到着した。只見〜会津川口間は水害によって2021年まで不通となっており、会津若松方面からの列車はこの駅で折り返す。＊

○キハ40形ディーゼルカー使用の普通列車（写真左）と蒸気機関車けん引の観光列車（写真右）とが会津坂下駅で行き違う。蒸気機関車は真岡鐵道所有のものを借り入れて運転された。

05

JR東日本 吾妻線

吾妻線
渋川〜大前間　[営業キロ] 55.3km

[最初の区間の開業] 1945（昭和20）年1月2日／渋川〜長野原草津口間
[最後の区間の開業] 1971（昭和46）年3月7日／長野原草津口〜大前間
[複線区間] なし
[電化区間] 渋川〜大前間／直流1500ボルト
[旅客輸送密度] 2416人

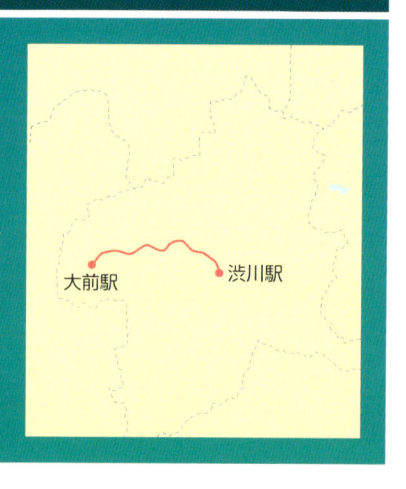

大前駅　　渋川駅

いくつものレジャーが楽しめるリゾート路線

　群馬県の北部を西から東へと流れる吾妻川と呼ばれる川があります。吾妻川は嬬恋村を水源とし、渋川市で利根川に合流する長さ76.2kmの一級河川です。

　この吾妻川に寄り添うように敷かれたJR東日本の路線があります。JR東日本 上越線の

● 吾妻線の起点、渋川駅は上越線の列車も発着する。*

　渋川駅を起点とし、嬬恋村の大前駅へと至る長さ55.3kmの吾妻線です。沿線には温泉地をはじめ、スキー場やゴルフ場といったレジャー施設が数多くつくられており、深い山あいを通る路線ですから、標高2160mの草津白根山といった山々への登山やハイキングも楽しめます。旅客輸送密度は2416人という状況ながら、首都圏近郊のリゾート路線として吾妻線は魅力あふれる存在といえるでしょう。

　吾妻線の普通列車は線路が南南西から北北東へと延びた渋川駅を北北東に向かって出発し、500mほどで上越線と分かれて北西へと進みます。渋川市の市街地の範囲は広く、5.5km先の金島駅のあたりまでです。市街地のなかとはいえ、列車は坂を上っており、なかには20パーミルのこう配という急坂も現れます。

　金島駅に到着するころ、列車の前を巨大な高架橋が横切っているのが目に入るでしょう。高架橋の主は上越新幹線です。北西から西北西に向きを変えて上越新幹線の吾妻線路橋をくぐりますと、今度は北北西に進路を取り、

● 金島駅から大前駅方面を見たところ。後方に見える巨大な高架橋は上越新幹線の線路だ。*

●周囲の木々が色づくなか、吾妻線の普通列車が大前駅を目指す。祖母島〜小野上間*

第一吾妻川橋りょうで初めて吾妻川を越えていきます。列車の前方には山々が近づき、急坂に挑むか、トンネルに入るかしか考えられません。しかし、線路はどちらも選ばず、西へ向きを変えていま渡った吾妻川によってつくられた谷間を行くことを選びます。すぐに長さ604mの小野子トンネルに入ること、そしてその小野子トンネルがカーブしていることから、谷間は広くありません。

市城駅のあたりから谷間は広くなり、線路の周囲は水田、それから市街地が目立ってきました。列車は北西に進み続け、西へと向きを変えますと、沿線でも規模の大きな町となる中之条町に置かれた中之条駅に到着します。広い谷間はなおも続き、市街地、それから背の低い木々の中を通り抜けながら、列車は西南西へと向きを変えて群馬原町駅に到着です。

群馬原町駅を出発し、並走する国道145号の跨線道路橋をくぐりますと、再び谷間は狭まります。列車の右側には広葉樹におおわれた山の斜面が近づき、蛇行を続ける吾妻川に沿って列車の進行方向は南西から南南西、西と変わる目まぐるしさです。上り坂は相変わらずで20パーミルの急坂の比率が増えてきました。

郷原駅を出発しますと、山岳線の趣が色濃くなります。山を削って線路を敷いた切り通しの区間が増え、長さ350mの鬼岩、同じく100mの矢倉の両トンネルを列車は窮屈そうに通り抜けなければなりません。

矢倉トンネルは長さこそ短いながら、1945（昭和20）年1月2日に開業した渋川駅と長野原草津口駅（開業時は長野原駅）との間の42.0km（同42.4km）で建設工事を行った際には、最も苦労した場所の一つです。どのような困難に見舞われたかを説明する前に吾妻線の開業時期に注目してください。

戦争中でも最優先で建設が進められた理由

吾妻線は太平洋戦争中の1942（昭和17）年9月に着工となり、日本の各都市が空襲を受けるようになっても建設工事が進められ、突貫工事の末に完成しました。人材も建設用の資材も不足するなか、最優先で建設が進められた理由は、沿線で大量の鉄鉱石や硫黄が産出されたからです。太平洋戦争の開戦で資源の輸入が期待できなくなった当時の日本にとって、岩手県の釜石鉱山に次いで2番目に産出量の多い群馬鉱山は貴重な存在でした。加えて、沿線では石炭や木材も産出され、こうした貴重な資源を運ぶために吾妻線は必要不可欠な路線と見なされたのです。

矢倉トンネルは地盤が弱く、山を掘っている最中に地表が陥没するなど苦労が絶えませんでした。そのうえ、木材が不足していたため、掘った部分を崩れないように押さえておく坑木用の木材が入手できず、建設工事は行き詰まってしまいます。

吾妻線を一日も早く開業させようと、当時の陸軍は1943（昭和18）年の10月ごろから月に1回は監督の将校を派遣し、建設現場では激励に当たり、沿線の自治体に対しては人材や建設用の資材を優先的に手配するよう強く命令していたそうです。あるとき、この監督将校が掘削に難儀していた矢倉トンネルを訪れ、木材が不足していることを知ると、早速群馬県庁に赴き、県知事らを集めます。そして、次のように命令したそうです。

「国破れて何の山河ぞ、ずい道（筆者注、トンネル）掘さくのために必要な材木を、他に廻すとはまことにけしからん」（『日本鉄道請負業史　大正・昭和（前期）篇』、日本鉄道建設業協会、1978年3月、692ページ）。

冒頭の「国破れて〜」とは、中国は唐の時代の詩人、杜甫の「国破れて山河あり」、戦乱で国が滅びても山や川といった自然は元のままの姿で存在している、という意味にちなんでいます。現実の歴史では、日本は戦争に敗れ、いっぽうで国内の美しい自然は残りました。しかし、この監督将校の発言がなければ吾妻線は開業できなかったかもしれず、実際に矢倉トンネルの建設現場には全国から続々と木材が集まってきたそうです。

岩島駅を出てしばらくしますと、左にカーブしながら長さ431mの第二吾妻川橋りょうを通り、渡り終えると吾妻川から離れてしまいます。第二吾妻川橋りょうは近代的なコンクリート製の鉄道橋ですし、その後に現れる長さ4582mの八ッ場トンネルといった構造物などもコンクリートを見る限りでは真新しく、戦時中に建設されたものには見えません。

岩島駅から川原湯温泉駅を経て長野原草津口駅までの間は2014（平成26）年10月1日に新しい線路に切り替えられました。というのも、吾妻川に八ッ場ダムが建設され、1945年

⦿八ッ場ダムの完成によって廃止となった旧線区間を特急「草津」が行く。川原湯温泉〜長野原草津口間*

○上野～長野原草津口間を東北、高崎、上越、吾妻の各線を経由して結ぶ特急「草津」。後方に見えるのは上信越高原国立公園の山々だ。群馬原町～郷原間*

○鉄鉱石などを搬出する拠点として栄えた太子駅跡。写真左の構造物は鉄鉱石を貨車に積みこむ際のホッパが載っていた土台だ。*

に開業した区間はダムの底に沈むこととなったからです。

長野原草津口駅は吾妻線の運転上の拠点で、特急「草津」の全列車、普通列車の一部はこの駅で渋川駅方面に折り返します。駅前からは草津温泉行きのバスが発着しており、名湯として知られる草津の温泉郷まで30分ほどの道のりです。

戦時中に吾妻線が開業したとき、長野原草津口駅とこの駅から北に5.8km先の太子駅までの間に、日本鋼管（現在のJFEエンジニアリング）が所有する専用側線といういわゆる自家用の線路も一緒に開通しました。鉄鉱石などは太子駅から積みこまれ、渋川駅方面へと運び出されたのです。

長野原草津口駅を出ますと山はさらに深くなり、こう配も最も急で25パーミルと過酷になりました。渋川～岩島間の道のりとは異なり、トンネルなどのコンクリートは比較的新しく、頑丈そうに見えます。というのも、長野原草津口駅と終点の大前駅との間は1971（昭和46）年3月7日の開業で、戦時中とは比べものにならないほど人材も建設用の資材も

○終点の大前駅は、単線に1面のプラットホームが据えつけられただけの簡素なつくりをもつ駅である。万座・鹿沢口～大前間は列車の本数が少ない。

豊富ななかでつくられたからです。

万座・鹿沢口駅は単線に1面のプラットホームを張り付けただけのつくりですが、駅名のとおり、万座、鹿沢の両温泉郷への訪問拠点としての役割を果たしています。ただし、駅から万座温泉へは北北東に約12km、鹿沢温泉へは南東に約15kmと直線距離でも結構離れており、徒歩ではとても行けません。万座温泉にはバスで行けますが、鹿沢温泉にはタクシーの利用となります。

列車はさらに坂を上り、終点で標高840mの大前駅です。渋川駅の標高は181mですので、659m分上ってきたことになります。

JR東日本
大船渡線
一ノ関〜盛間

[営業キロ] 105.7km ※気仙沼〜盛間43.7kmはBRT（バス高速輸送システム）

[最初の区間の開業] 1925（大正14）年7月26日／一ノ関〜摺沢間

[最後の区間の開業] 1935（昭和10）年9月29日／大船渡〜盛間

[複線区間] なし

[電化区間] なし

[旅客輸送密度] 523人

盛駅

一ノ関駅

気仙沼駅

一部区間はBRTで営業中

JR東日本の大船渡線は東北線の一ノ関駅を起点とし、同じくJR東日本の気仙沼線との乗り換え駅である気仙沼駅を経て三陸鉄道南リアス線との乗り換え駅である盛駅を終点とする路線です。このうち、三陸海岸沿いの気仙沼〜盛間は2011（平成23）年3月11日に発生した東日本大震災による津波の被害を受けました。復旧に当たっては鉄道として元の姿に戻すのではなく、線路の用地をバス専用の道路として整備し、BRT（バス高速輸送シス

テム）として2013（平成25）年3月2日から営業を再開しています。本書はローカル鉄道の旅を扱っていますので、今回は一ノ関〜気仙沼間を紹介しましょう。

南北に東北線の線路が敷かれた一ノ関駅から大船渡線の線路は南に向かいます。気仙沼街道と呼ばれる国道284号の跨線道路橋が見えてきますと、普通列車は南東に向きを変え、やがて右手の国道と並走するようになりました。

一関市の市街地は案外早く途切れ、線路の

長さ105mの第二砂鉄川橋りょうを渡る大船渡線の普通列車。周辺は名勝地の猊鼻渓で、橋りょうの下を舟下りの船も通過していく。猊鼻渓〜柴宿間

周囲にはすぐに水田が広がります。南東から東、そして南と列車は向きを変え、最初の駅の真滝駅が現れました。この駅を出ますと平地は途切れ、25パーミルのこう配が続く峠越えが始まります。坂を登って行くうちに水田は姿を消しました。主に広葉樹がうっそうと茂る林の中を通り抜けます。

やはり25パーミルの坂道を下りきったあたりで、直線区間が現れました。すぐに北上川が姿を見せ、列車は長さ220mの北上川橋りょうを通過します。

北上川橋りょうの河原の部分には、よく見られる箱形の桁の橋が架けられました。そして、川の部分は鋼鉄をアーチ状に組んだ曲弦トラスという、長さ93mの桁1カ所で越えています。建設工事を行っていた1924（大正13）年4月、雪解け水で増水した川の流れに耐えきれず、当初、架設の予定であった曲弦トラスを載せていた仮設の橋脚が崩れ、曲弦トラスは流失してしまいました。この事故で工事関係者3人の命が奪われています。流された曲弦トラスは再利用できず、新たにつくりなおしたそうです。

1925（大正14）年7月26日の開業当時に架け渡された北上川橋りょうの曲弦トラスは古くなったため、1978（昭和53）年に架け替えられることとなりました。完成した新品の曲弦トラスをあとは橋脚に載せるだけとなった

○一ノ関駅は大船渡線の起点であり、東北線や東北新幹線の列車も発着するターミナルだ。

同年5月18日、今日のえちごトキめき鉄道妙高はねうまラインである信越線の妙高高原〜関山間で大規模な土石流が発生し、築堤となっていた盛土ごと線路が流されるという被害を受けました。信越線を一日も早く復旧するためには橋りょうを架け渡すことがよいと考えられ、すぐに使える橋げたはないかと国鉄の関係者が探した結果、架設寸前であった北上川橋りょう用の曲弦トラスに白羽の矢が立ったのです。

大船渡線の北上川橋りょうの曲弦トラスは新たにつくり直しとなり、1979（昭和54）年7月にやっと架け替えられました。北上川橋りょうの曲弦トラスは結局のところ、二代続けて二度製造したという珍しい経緯をもっています。数十年以内に現在の曲弦トラスも架け替えとなる予定ですが、そのときはどうなるでしょうか。

大船渡線のルートが二度も変わった理由

国道284号とついたり離れたりを繰り返しながら東へ向かっていた大船渡線の線路は、陸中門崎駅から北を目指すようになり、国道とは別の方向に進みます。ではもう二度と国道と顔を合わせないかといいますとそうではありません。陸中門崎駅から東に直線で約

8km先の千厩駅で再び近づきまして一緒に気仙沼へと向かうのです。陸中門崎～千厩間で大船渡線はコの字型に通っており、その距離は26.1kmと実に18kmほど大回りしています。

迂回は地形によるものではありません。大船渡線の建設のための測量が開始された1920（大正9）年の総選挙で当選した立憲政友会の佐藤 良平議員が、当初は一直線に結ぶ予定であった陸中門崎～千厩間のルートを変えさせたからです。佐藤議員の提案したルートは陸中門崎駅から陸中松川駅、摺沢駅を通り、気仙沼駅を通らずにいまはBRTとなった陸前矢作駅へそのまま東に向かうというものでした。

ところが、1925（大正14）年7月26日までに盛岡～摺沢間が開業したとき、すでに政権は立憲政友会から憲政会へと移っていました。憲政会は大船渡線のルートを再び変えました。摺沢駅から千厩駅へ向かい、ここから気仙沼駅までは当初の予定どおりというルートとしたのです。こうして完成した大船渡線を人々は「なべづる線」と呼びました。囲炉裏の上などに載せて使う鉄製の鍋につけられた持ち

手の鍋鉉の形に陸中門崎～千厩間のルートが似ているからです。

全体的に山あいを進むために坂道やカーブが多いなか、大回りした先の摺沢駅のある岩手県一関市大東町摺沢は比較的大きな市街地となっています。人がいない場所でも一直線に突っ切っていくか、人が多いところを寄り道しながら通っていくかは悩ましいところ。そう考えているうちにほぼ山道ばかりの大船渡線の旅は終わりに近づきました。そして、同じくBRTに置き換えられたために気仙沼線の列車が発着しなくなった気仙沼駅に到着します。

◯BRTが走行するバス専用道路は大船渡線の軌道を活用してつくられた。写真のゲートはBRTが接近すると開く。*

◯鉄道としての大船渡線の実質的な終点、気仙沼駅。構内には鉄道区間で用いられているキハ100形が出発を待つ。*

◯気仙沼駅は1929（昭和4）年7月31日の開業以来の駅舎をリニューアルしながら使用している。屋根にはメカジキの絵が描かれ、駅舎の手前には三陸海岸の岩をイメージしたアプローチゲートが設けられた。

JR東日本
陸羽東線
小牛田〜新庄間　［営業キロ］94.1km

［最初の区間の開業］1913（大正2）年4月20日／小牛田〜岩出山間
［最後の区間の開業］1917（大正6）年11月1日／鳴子温泉〜最上間
［複線区間］なし
［電化区間］なし
［旅客輸送密度］969人

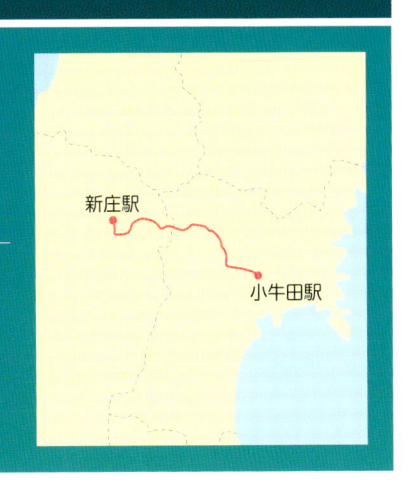

新庄駅

小牛田駅

かつての「陸羽線グループ」のリーダー

　陸羽東線はすでに紹介したJR東日本の石巻線、後で紹介する陸羽西線と合わせ、太平洋に面した石巻の町と日本海に面した酒田の町とを結ぶ東北横断路線の一部として建設されました。いずれもJR東日本の東北線や石巻線の列車が発着する小牛田駅を起点とし、やはりどちらもJR東日本の奥羽線や陸羽西線の列車が発着する新庄駅を終点とする陸羽東線は、いまあげた3路線の真ん中の位置にあり、なおかつ営業キロも94.1kmと、40km台の他の2路線と比べて2倍以上の長さがあるため、中心的な存在といえるでしょう。

　今日、いまあげた3路線は全く別の路線として扱われていて、石巻駅と酒田駅との間を直通する列車は運転されていません。かつては陸羽西線であった余目駅と酒田駅との間はいまのJR東日本の羽越線となり、建設当初の目的は徐々に薄れてきました。さらにいいますと、陸羽東線では全線を通して運転される定期列車は少なく、多くの場合、途中の鳴子温泉駅での乗り換えが必要です。しかし、1986（昭和61）年10月31日までは、陸羽東線と陸羽西線とを直通して東北線の仙台駅から東北線、陸羽東線、陸羽西線、羽越線を経由して酒田駅までの間を結ぶ急行列車が運転されていました。それから、陸羽東線と石巻線とを直通する列車はいまも石巻駅と陸羽東線の古川駅とを結ぶ普通列車が健在です。

○仙台〜新庄間を東北線、陸羽東線を経由して観光列車の「リゾートみのり」が運転されている。

JR四国を除く各社は現在も通称として「〜本線」との呼び名を用いています。「東北本線」という具合にです。これは全国の路線を「〜本線」を長として周囲の支線を束ねるというグループ別の管理が行われていた名残となります。陸羽東線は国鉄時代は「陸羽線」というグループを形成しており、陸羽東線、陸羽西線がリーダー、そして支線として石巻線を従えていた時代もありました。こうした経緯を見据えて陸羽東線の普通列車に乗ってみるとまた味わいも異なることでしょう。

広大な構内をもつ小牛田駅は、最初に開業した東北線に合わせて線路の延びる方向は南北です。陸羽東線の普通列車は北に向かって出発し、出来川を渡り終えるまでの約600mを東北線と並走した後、西北西へと分かれていきます。小牛田駅周辺の市街地はすでに途切れており、列車は水田地帯のなかを進みま

○小牛田駅は陸羽東線、石巻線の起点で、東北線の列車も発着する。

す。線路は一直線に延びており、しかもほぼ平らです。

時速90kmほどで走る列車の周囲にやがて市街地、そして前方に巨大な高架橋が姿を現しました。宮城県大崎市の中心である古川駅に近づいたのです。巨大な高架橋の正体は同じくJR東日本の東北新幹線でして、陸羽東線に対してほぼ垂直に交差します。古川駅では東北新幹線との乗り換えが可能です。列車が到着すると多くの利用客が乗り降りします。

上り坂、深い谷間を行く

古川駅を出発しますと右側にJR貨物のコンテナが多数積み上げられているのが見えるでしょう。コンテナが積み上げられていた場所は古川オフレールステーションといって、

コンテナはトラックで仙台市にあるJR貨物のコンテナ貨物駅である仙台貨物ターミナル駅まで運ばれます。古川オフレールステーションには以前は貨物列車が発着していましたが、採算が合わないのでトラックでの輸送に切り替えられました。

古川駅を出発した列車は大崎市の市街地を進みます。線路は手前から塚目駅をはさんで西古川駅の手前までの約7kmはカーブが1カ所もありません。しかも、塚目駅を中心とした合わせて3kmの区間ではこう配もなく、真っ平らです。

○陸羽東線で用いられているJR東日本のキハ111・112形ディーゼルカー。「奥の細道湯けむりライン」という同線の愛称にちなんで前面には「奥の細道」のロゴが入れられた。

それまで西に向かっていた線路は西古川駅の前後で大きく右に曲がり、今度は北北東へと進みます。西古川駅を出ますと線路の周囲は水田地帯が目立ち、市街地ではなくなりました。相変わらずカーブは少ないながらも、列車は緩やかながら坂を上り始めました。

岩出山駅を出ますと、あたかも庭園のような手入れの行き届いた緑の中を走ります。それもそのはずで、このあたりでは、かつての仙台藩の学問所でいまは史跡に指定された、旧 有備館及び庭園のすぐ脇に線路が敷かれているからです。有備館駅は史跡の入口の前に設けられており、観光にとても便利です。

列車の行く手には山々が迫り、線路も江合川によって形成された谷間の中を進むようになりますが、谷間は案外広くいままでと比べて変化はあまり感じられません。様相が変わるのは鳴子御殿湯駅を出たあたりです。こう配は15パーミルほどとなり、カーブも増えてきます。

駅名からもわかるとおり、鳴子温泉駅のある鳴子温泉郷は全国的にも名の知られた温泉

◯駅舎の2階に円形の出窓が設置された鳴子温泉駅。出窓部分の内部は円形の劇場のようになっており、普段は待合室として用いられている。

地です。そして、工芸品のこけしの里としても知られています。

鳴子温泉駅を出ますと、本格的な上り坂です。18.2パーミルのこう配が10kmにわたって続き、線路の周囲も高くそびえた針葉樹林ばかりとなりました。

堺田駅がちょうど峠となっており、今度は赤倉温泉駅までの約6kmにわたって18.2パーミルの下り坂が始まります。赤倉温泉駅からこう配は多少は緩くなり、瀬見温泉駅の手前までのおよそ14kmが下り坂です。

瀬見温泉駅の手前から列車は深い谷間を進みます。このあたりは雪が多いため、列車をなだれから守るためのおおいが多数設けられました。

長沢駅を出ますと、線路の周囲に再び水田が目立つようになります。列車の左側に奥羽線の線路が現れたと思ったら、陸羽東線にだけ駅が設けられた南新庄駅です。そのまま奥羽線と北に向かって並走し、終点の新庄駅に到着します。

◯1917（大正6）年11月1日に鳴子温泉〜最上間が開業して全線開通を果たしてから100年が経過した。これを記念してJR東日本は2017（平成29）年秋に「陸羽東線全線開通100周年号」を仙台〜新庄間に走らせている。鳴子温泉〜中山 平 温泉間*

JR東日本
米坂線
米沢〜坂町間　[営業キロ]90.7km

[最初の区間の開業]1926（大正15）年9月28日／米沢〜今泉間
[最後の区間の開業]1936（昭和11）年8月31日／小国〜越後金丸間
[複線区間]なし
[電化区間]なし
[旅客輸送密度]405人

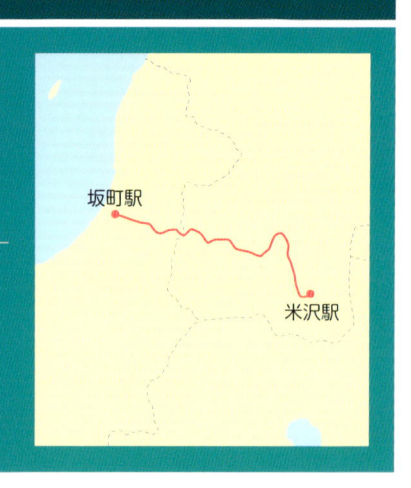

坂町駅
米沢駅

鉄道の魅力がふんだんに味わえる路線

　JR東日本の米坂線は、山形県米沢市にある米沢駅と新潟県村上市にある坂町駅との間を結ぶ長さ90.7kmの路線です。2015（平成27）年度の旅客輸送密度は405人と芳しくありません。国土交通省が2010（平成22）年に実施した「全国幹線旅客純流動調査」によりますと、そもそも米沢市と村上市との間を移動する人の数が、すべての交通機関を合わせても年間3万9000人、1日平均107人しかいないのです。大量輸送を得意とし、逆に少量輸送では効率の悪さが目立つ鉄道として、米坂線を今後も維持できるかどうかは何ともい

えないでしょう。

　しかし、旅を楽しむ立場で米坂線の列車に乗ってみれば、鉄道のもつ魅力がふんだんに感じられます。先に結論をいいますと、「瑞穂の国」と呼ばれたとおりの豊かな穀倉地帯、そして本格的な山越え、単純すぎない程度に鉄道のつくりが詰めこまれているからです。

　起点の米沢駅は米坂線のほかに奥羽線も発着します。両線ともJR東日本の在来線ですが、お互いに乗り入れることはできません。奥羽線の福島〜新庄間、大曲〜秋田間は東北新幹線との直通運転のために2本のレールの間隔である軌間を1.067mから1.435mへと変え、米坂線は1.067mのままだからです。

　米沢駅を出て奥羽線の福島駅方面と同じ南南東に進んだ普通列車は、600mほど奥羽線と並走した後、南西、そして西へと進んで最初の駅、南米沢駅に到

○伊佐領〜羽前松岡間の小川橋りょうで、米坂線の坂町方面行きの普通列車が横川を渡る。*

着します。南米沢駅を出ますと北北西に向きを変え、次の西米沢駅へ。米沢市の市街地が建てこんでいたからでしょうか。四角形の3辺を通るようなルートを米坂線は選んでいるのです。

　西米沢駅を出た列車は米沢盆地に広がる水田地帯のなかを進みます。北北西から北へと走り続けた列車は左にカーブして北東に向き、山形県長井市の今泉駅に到着です。

　今泉駅には山形鉄道フラワー長井線の列車も発着しています。よく見ると、今泉駅ではフラワー長井線の起点であるJR東日本奥羽線の赤湯駅方面からの線路はありますが、この路線の終点となる荒砥駅方面の線路は見当たりません。今泉駅から約1.7kmの区間では米坂線とフラワー長井線とは1本の線路を共有しているために荒砥駅方面の線路が敷かれていないのです。実際には、共用区間を含む米坂線の今泉駅と手ノ子駅との間の開業が1931（昭和6）年8月10日、フラワー長井線では梨郷駅と長井駅との間の開業が1914（大正3）年11月15日と、フラワー長井線のほうが16年ほど先に営業を始めました。

　引き続き北東に走り出した列車は白川を渡るとほどなくフラワー長井線と分かれ、西南西、そして南南西へと向きを変えて米沢盆地

●米坂線は奥羽線とは軌間が異なることもあり、米沢駅の乗り場は、構内の片隅に設けられたかのような印象だ。*

●今泉駅に到着した米坂線の普通列車（写真左）と山形鉄道フラワー長井線の普通列車（写真右）。両線の列車は約2kmにわたって線路を共用している。*

を進みます。広々とした水田地帯は羽前椿駅を出てしばらくすると姿を消し、列車の右側には朝日山地南端の山々の斜面が迫ってきました。手ノ子駅は列車の左側に市街地が広がっていますが、山あいの駅といった趣をかもし出しています。

紅葉の美しさは全国トップクラス

　手ノ子駅を出ますと25パーミルのこう配の上り坂に挑まなくてはなりません。線路の周囲には広葉樹林が目立ち、秋になりますと美しい紅葉に恵まれます。全国にあまたある鉄道の路線のなかでも米坂線の紅葉は有名です。

寒暖差が大きいという沿線の気候条件も手伝っているのでしょう。

　宇津川に沿って4kmほど上りますと、長さ1279mの宇津トンネルに入ります。トンネルを出たあたりが峠で、今度は25パーミルの

こう配の下り坂です。上り坂同様に川に沿って走りまして、最初に並走するのは間瀬川、そして明沢川と変わりまして羽前沼沢駅に到着し、さらに坂を下って伊佐領駅、羽前松岡駅と通り過ぎ、比較的広い平地のなかに置かれた小国駅で久しぶりに市街地を見ることができました。

　小国駅を出ますと再び険しい山道を下っていかなくてはなりません。最初のトンネルを

◯見事な紅葉の中を行く米坂線の普通列車。羽前沼沢〜伊佐領間

抜け、並走する荒川を長さ61mの第五荒川橋りょうで渡っていくときは周囲をよく見回してください。山肌をおおう広葉樹が美しく、秋になりますと見事な紅葉が見られます。このあたりは赤芝峡と呼ばれる景勝地で、色づいたモミジの美しさが有名です。

　列車は再びトンネルに入り、出ますと今度は第四荒川橋りょうで渡ります。米坂線の沿線は雪が深く、これまでもたびたび被害を出してきました。なかでも大きな被害は、1940（昭和15）年3月5日の午前3時45分にこの橋りょう上で起きた列車脱線事故です。蒸気機関車が客車と貨車とを引いた坂町行きの列車がなだれに遭遇し、橋げたごと荒川に流されたうえ、客車に用いられていた石炭ストーブに引火して火災も発生します。この事故で15人が命を落とし、30人が負傷するという大惨事となりました。

　紅葉の美しい山あいの区間は小国駅から21.4km先の越後下関駅の手前まで続きます。列車は越後平野の北端に差しかかり、周囲は水田ばかりです。しかし、3.8km先にある隣の越後大島駅を過ぎますと、櫛形山脈と呼ばれる山々が列車の左側から近づき、荒川寄りの狭い平地を国道113号と肩を寄せ合うように通らなくてはなりません。谷間は3kmほどで終わり、再び水田地帯となりました。列車は西北西から左に大きく曲がり、南南西から北北東へと進む羽越線に対して、北北東側から坂町駅へと至ります。

◯長さ111mの大石川橋りょうを渡る快速「さくらんぼトレイン」。米沢〜新潟間を米坂、羽越、白新の各線経由で運転された。JR東日本のキハ47形ディーゼルカーだけではこう配区間を上ることができないため、同社のディーゼル機関車の力を借りている。越後片貝〜越後下関間

09

山形鉄道
フラワー長井線

赤湯〜荒砥間 ［営業キロ］30.5km

［最初の区間の開業］1913（大正2）年10月26日／赤湯〜梨郷間
［最後の区間の開業］1923（大正12）年4月22日／鮎貝〜荒砥間
［複線区間］なし
［電化区間］なし
［旅客輸送密度］540人

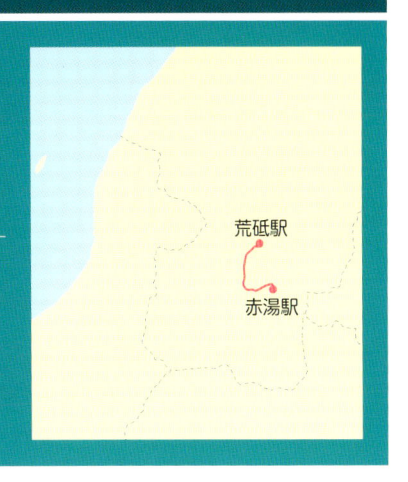

荒砥駅

赤湯駅

名称どおり、花の名所が多い路線

　山形鉄道のフラワー長井線はもとはJR東日本の長井線でした。しかし、国鉄時代の1977（昭和52）年度から1979（昭和54）年度までの3年間の旅客輸送密度が4000人を下回ったために、廃止されることとなります。長井線をこのまま消滅させてはならないと、沿線の自治体や企業が出資して第三セクター鉄道の山形鉄道を設立し、1988（昭和63）年10月25日にJR東日本から鉄道事業を引き継いで営業を始めました。

　フラワー長井線は山形県南陽市にある赤湯駅を起点とし、同じく山形県の白鷹町にある荒砥駅を終点とする長さ30.5kmの路線です。路線名の「フラワー」とはいうまでもなく花で、沿線に花の名所が多いことから名付けられました。ざっと見ましても、桜、ツツジ、シャクヤク、バラ、あやめ、ゆり、べにばな、ダリヤ、はぎ、菊と目白押しです。

　かつて同じ鉄道事業者であった縁から、JR東日本奥羽線の赤湯駅と同じ構内に、フラワー長井線の起点の駅は設置されました。南北に敷かれた奥羽線の複線に対し、フラワー長井線の単線の線路は北に向かって進み、約500m先で国道113号をくぐりますと北西へ、

○フラワー長井線を走るディーゼルカーは合わせて6両。うち5両には花にちなんだ愛称が付けられた。写真は「べに花」との愛称をもつYR-883

○フラワー長井線では春から秋にかけて沿線に花があふれる。春の桜もよいが、秋の柿もまた美しい。四季の郷〜荒砥間*

つまり列車は左へと曲がります。

　奥羽線と分かれてからまもなく、列車の左側に大きな建物が見えてきました。そして、列車も単線に1面のプラットホームが置かれた駅に停車します。南陽市役所駅です。この駅のプラットホームから階段を降りますと、南陽市役所の駐車場です。文字どおり、市役所と直結した駅といえるでしょう。

　南陽市役所駅を出てからも市街地は続きます。しかし、緑は多く、水田や果樹園も多数見つけられるでしょう。列車は北西から西へと向きを変えて宮内駅へ、駅を出ますと左に

曲がって南西へと向かいます。

　梨郷駅は文字だけ見れば「ナシ」、音だけ聞けば「リンゴ」と果樹園が連なっているようです。駅名のもととなった梨郷という地名は駅からさらに西側にあります。線路から離れた場所に果樹園を見ることもできます。恐らくはナシの木でしょう。

　列車は西から北へと向きを変え、今泉駅に到着です。JR東日本の米坂線のところでも紹介したとおり、この駅から荒砥駅寄り、米坂線ですと坂町駅寄りの約1.7kmは米坂線と線路を共用しています。

共用区間では譲り合いの精神

　興味深いのは共用区間での運転方法です。今泉駅に赤湯駅方面からと米坂線の米坂駅方面からの列車がほぼ同時刻に着いた場合、どうするのかというと、お互いに譲り合います。2018（平成30）年3月17日現在、今泉駅にほぼ同時に到着する機会は1日5回です。興味

深いことに5回とも、今泉駅に先に着いたにもかかわらず、後から来た列車に譲りまして、うち3回はフラワー長井線の列車が、残り2回は米坂線の列車がそれぞれ待っています。

　米坂線との共用区間は、長さ319mの白川橋りょうで白川を渡り終えてすぐのところで

●1922（大正11）年12月11日の開業時のままの姿をいまに伝える羽前成田駅の駅舎*

最上川橋りょうには、東海道線の木曽川橋りょうから移設された、歴史的構造物ともいえるトラス橋が架けられている。四季の郷〜荒砥間*

終了です。右へ行くとフラワー長井線、左へ行くと米坂線というYの字型の分岐点では、2本に分かれた線路の間に白い建物が設置されています。国鉄時代にはここに白川信号場が置かれ、係員が線路の分岐を行う転てつ器を操作していたのです。今日では遠隔で転てつ器の切り替えが行われますので、白川信号場に係員の姿はありません。でも、線路が分岐する場所は駅または信号場、それから車両の連結や切り離しを行う操車場（そうしゃじょう）でなくてはならないと定められています。フラワー長井線と米坂線との分岐を行っている場所は今泉駅という扱いになっており、約1.7kmの間列車は他の区間と同じように走ってはいるものの、正確には今泉駅の構内を走っているのです。

共用区間を通り抜け、再びフラワー長井線単独の線路を走り出した列車の前方に針葉樹林が現れました。植えられているのは杉で、列車を吹雪（ふぶき）や強風から守る鉄道林です。列車が近づきますと、鉄道林の右側に線路、さらに右側に時庭駅（ときにわ）のプラットホームが設置されていることがわかります。周囲は水田地帯ですが、冬ともなると様子が一変するのでしょ

う。フラワー長井線の沿線の各所には同様の目的で鉄道林が植えられており、駅を守るためのものでしたら羽前成田駅（うぜんなりた）や蚕桑駅（こぐわ）でも見られます。

北から北北東へと進んできた列車は四季の郷駅（しき さと）を出ますと東南東に向きを変えました。そしてそのまま最上川（もがみがわ）を渡ります。

最上川には長さ318mの最上川橋りょうが架けられました。川の部分には鋼鉄でアルファベットのXの字型に組み立てられたトラスと呼ばれる桁（けた）が渡されています。見るからに古そうな重厚なこのトラスが製造されたのは1886（明治19）年のこと。しかもイギリス製です。トラスは翌1887（明治20）年にまずは東海道線の木曽川橋りょうとして架設されましたが、列車の重さが増えて耐えられないというので、1923（大正12）年にいまのフラワー長井線に移されました。

全国に現存する鉄道の橋りょうとしては最も古い最上川橋りょうを渡り終えると、列車は北北東に向きを変えます。すでに列車の速度は落ちていて、そのまま終点の荒砥駅に到着です。

雪に埋もれた荒砥駅。駅構内には車両基地の荒砥運転所が設けられている。*

10

阿武隈急行
阿武隈急行線

福島～槻木間　［営業キロ］54.9km

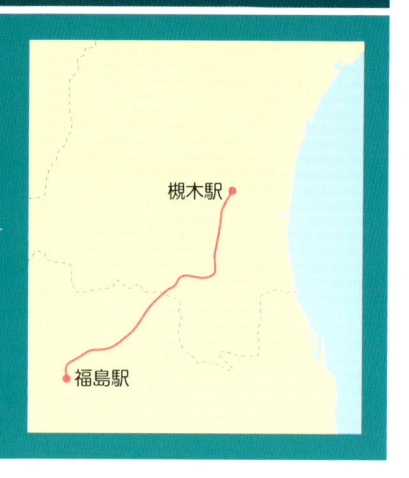

［最初の区間の開業］1968（昭和43）年4月1日／丸森～槻木間
［最後の区間の開業］1988（昭和63）年7月1日／福島～丸森間
［複線区間］なし
［電化区間］福島～槻木間／交流2万ボルト／50ヘルツ
［旅客輸送密度］1827人

当初は東北線の新線の予定だった

阿武隈急行の阿武隈急行線はJR東日本東北線の福島駅を起点とし、同じくJR東日本東北線で宮城県柴田町にある槻木駅を終点とする路線です。公表されている営業キロは54.9kmですが、この数値は東北線に合わせたもの。実際の距離である実キロは0.2km長い55.1kmです。

営業キロと実キロとの関係からもうかがえるとおり、阿武隈急行線は東北線と密接なつながりをもっています。というのも、阿武隈急行線は、1950年代に計画された当時は東北線の新線として使用することも考えられていたからです。

東北線の福島～槻木間のうち、福島駅から2駅目の伊達駅から白石駅までの24.9kmは難所として立ちはだかっていました。25パーミルのこう配の坂道が続き、カーブの半径も最も急なところで400mもあります。重い貨物列車を引くには機関車が2両以上必要で、いまもJR貨物は2車体を連結したEH500形という交直流電気機関車を用いています。

阿武隈急行線の最も急なこう配は10パーミ

第二阿武隈川橋りょうの完成は1968（昭和43）年3月のこと。しかし、国鉄の財政悪化を理由になかなか開業までこぎ着けることができず、長らく放置されていた。朝日新聞社提供

丸森駅は国鉄の丸森線時代の終点であった。槻木～丸森間しか開業していなかったため、丸森線の旅客輸送密度は低く、1986（昭和61）年7月1日に国鉄から阿武隈急行へと経営が移譲されている。朝日新聞社提供

ルですし、最もきついカーブの半径も500mです。JR東日本の前身の国鉄は1959（昭和34）年11月にいまの阿武隈急行線の前身の丸森線の建設を決めますが、当時の国鉄には丸森線の完成を待つ余裕はありません。東北線を通る旅客も貨物も日々増えていたからです。国鉄は東北線の改良工事を始め、伊達〜白石間では電化を1961（昭和36）年3月1日までに、複線化を1967（昭和42）年9月28日までにそれぞれ完成させます。

　いっぽうの丸森線は1964（昭和39）年12月1日に着工となりました。このとき国鉄は、丸森線を東北線の新線とはしないと決め、単線そして非電化で建設します。1968（昭和43）年4月1日にまずは丸森駅と槻木駅との間の17.4kmが開業しました。福島駅と丸森駅との間の37.7kmの建設工事も1974（昭和49）年3月までに完成しましたが、すでに丸森線として開業していた区間の利用者は少なかったために、国鉄時代は開業を果たせません。丸森線の経営は第三セクター鉄道の阿武隈急行が1986（昭和61）年7月1日に引き継ぎ、同時に交流2万ボルト、50ヘルツで電化されることとなります。福島〜丸森間は阿武隈急行の手で建設工事が進められ、1988（昭和63）年7月1日に開業しました。

市街地から山あいの景色に一変する

　阿武隈急行線の福島駅は福島交通飯坂線と同じ駅舎を使用しています。線路も隣り合わせに敷かれ、プラットホームの片面が阿武隈急行、もう片面が飯坂線です。

　東北線に合わせて南から北へと線路が延びる福島駅を北に向けて出発した阿武隈急行線の列車は、東北線に乗り入れて盛岡駅方面へと進みます。福島駅から4.6km走ると前方に東北新幹線の高架橋が見えてきました。ここで阿武隈急行線の線路は東北線から分かれ、北東から北へ、つまり左へと曲がっていく東北線の線路を横目に、そのまま直進して北東

に進みます。

　ほぼ一直線に走り続ける列車の車窓に見える景色は、福島駅から富野駅までの22.1kmの間はほぼ市街地です。阿武隈急行線の建設工事が1960年代に行われたこともあり、近代的です。大多数のケースで道路とは立体交差となっており、踏切の数は東北線と分かれてから槻木駅まで9カ所だけ、特に福島～富野間には踏切は1カ所も設けられていません。

　富野駅を出ますと周囲の様相は一変し、急に山あいの景色となります。列車の左側には阿武隈川、右側には山地が迫ってきました。線路は両者の間の狭い谷間に敷かれているというのは他の路線とあまり変わりません。しかし、戦前までに開業した鉄道とは要所でトンネルに入るという点で異なります。たとえば、兜駅とあぶくま駅との間では、長さ2281mと阿武隈急行線で最も長い羽出庭トンネルで北東に突っ切っています。従来の鉄道でしたら蛇行する阿武隈川に沿ってまずは北上し、次いで東に進んでいたでしょう。

　山あいの景色は角田駅まで。ここから先は水田地帯のなかを行きます。岡駅と東船岡駅との間では丘の下をトンネルで抜けていきますので、多少は山あいの趣が強くなってきました。でも、阿武隈急行線は何分にも直線基調ですし、しかもほぼ平坦ですから、少々車窓に緑が目立つかという程度にしか感じられません。

　東船岡駅を出てから2kmほど進みますと、列車の左側から東北線の線路が近づいてきました。築堤を駆け上がってきた列車は東北線の東京駅方面の線路である上り線をまたぎ、盛岡駅方面の下り線と上り線との間を北北東方向に並走します。この状態で長さ159mの白石川橋りょうを通り、川を渡り終えてから約1kmで終点の槻木駅に到着です。

　線路の配置からも明らかなように、終点の槻木駅は東北線と施設を共用しており、列車の到着したプラットホームの反対側に東北線の列車が発着しています。それだけに、阿武隈急行線がもしも東北線の新線となっていたらと考えるのは筆者だけではないでしょう。

○穀倉地帯に一直線に敷かれた線路を阿武隈急行の8100系交流電車が行く。二井田～新田間*

会津鉄道
会津線

西若松〜会津高原尾瀬口間 ［営業キロ］57.4km

［最初の区間の開業］1927（昭和2）年11月1日／西若松〜芦ノ牧温泉間
［最後の区間の開業］1953（昭和28）年11月8日／会津荒海〜会津高原尾瀬口間
［複線区間］なし
［電化区間］会津田島〜会津高原尾瀬口間／直流1500ボルト
［旅客輸送密度］649人

西若松駅

会津高原尾瀬口駅

ひたすら山道を登って行く路線

　会津鉄道会津線は、JR東日本只見線の列車も発着する西若松駅を起点とし、野岩鉄道会津鬼怒川線の列車も発着する会津高原尾瀬口駅との間を結ぶ57.4kmの路線です。起点から終点まで、大川と呼ばれる阿賀川に沿って線路が敷かれています。途中には大川ラインと呼ばれる深い渓谷があることからもわかるとおり、終点の会津高原尾瀬口駅に向けて険しい山道を登って行くのが特徴です。

　西若松駅は会津線の起点ではありますが、この駅を始発または終着とする列車はありません。全列車が只見線に乗り入れて会津若松駅を発着しています。なお、只見線の西若松～会津若松間の3.1kmは只見線のところで紹介しましたので、そちらをご覧ください。

　南から北へと敷かれた只見線に合わせて南に向けて出発した会津線の列車は、ほぼ一直線に走り続けて、あまや駅まで向かいます。会津盆地の南端ということもあって線路の周囲は主に水田です。とはいえ、平坦基調ではなく上り坂となっていますし、前方には遠く日光国立公園の山々がそびえており、これから先の山岳区間の厳しさを物語っています。

　あまや駅を出ますとこう配は一段と厳しくなり、25パーミルの上り坂となる場所も現れました。会津鉄道のディーゼルカーは1基当たり221kWから309kWまでの強力なディーゼルエンジンを搭載しているために、特にスピードを落とさずに走って行くことができます。

　上り坂は芦ノ牧温泉駅を過ぎますといっそう厳しくなり、25パーミルの比率が増えてき

●西若松駅からの線路はあまや駅までは平坦基調だが、写真前方にそびえる日光国立公園の山々からもわかるとおり、この駅からは山岳区間となる。*

○芦ノ牧温泉駅で普通列車どうしが行き違いを行う。会津鉄道の沿線は冬になると豪雪に見舞われ、会津線も雪との闘いに明け暮れる。*

ました。山は徐々に深くなり、芦ノ牧温泉駅と大川ダム公園駅との間にある長さ1148mの舟子トンネル、芦ノ牧温泉南駅と湯野上温泉駅との間にある長さ2838mの大戸トンネル、という具合に長いトンネルも目立ちます。

芦ノ牧温泉～湯野上温泉間の線路は1932（昭和7）年12月22日に開業した当時のものではありません。元の線路は大川に大川ダムが建設されて水没することとなったため、1980（昭和55）年12月1日から現在の新しい線路へと移りました。

列車は芦ノ牧温泉南駅を出ますと、先ほど紹介した大戸トンネルに入り、通り抜けた直後に長さ123mの第三大川橋りょうを通ります。列車の右側を流れていた大川は今度は左側へと移りました。そのまま南に進むと湯野上温泉駅です。

この駅には観光客が多く、列車に向けてカメラを向ける人の姿も目立ちます。駅舎はかやぶき屋根を備えた純和風の建物で、駅舎と列車とを入れた写真を撮る人たちです。しかも、プラットホームのすぐ後方には桜の木が植えられており、花が咲きますと撮影者の数はさらに増えます。

途中駅のような終点に到着

かやぶき屋根の駅舎はこの駅のある下郷町の観光名所で、駅からタクシーで15分のところにある大内宿に建ち並ぶかやぶき屋根の家屋群にちなんでつくられたものです。待合室には囲炉裏があり、屋根に集まる虫を煙で追い払う目的で朝8時30分から16時30分まで火がたかれています。

湯野上温泉駅を出た列車は再び深い山あいのなかを行きます。線路の周辺は木々が立ち並んでいて、近くが広葉樹林、遠くに針葉樹林といったところでしょうか。

会津下郷駅まで来ますと周囲は開けてきました。まだ25パーミルの上り坂は残っていますが、それもひとまずは4.0km先の養鱒公園駅まで。平坦にはなりませんが、十数パー

○会津西街道の宿場、大内宿は江戸時代の姿をいまに伝え、重要伝統的建造物群保存地区に指定されている。*

◎かやぶき屋根の駅舎が特徴の湯野上温泉駅に普通列車が到着した。駅の周囲には桜の木が植えられており、見ごろを迎えるころには多くの人出でにぎわう。*

ミル程度のこう配に落ち着きます。

　福島県南会津町にある会津田島駅は会津線の途中駅としては最も規模が大きな駅です。広々とした構内には車両基地も設けられており、加えてこの駅から会津高原尾瀬口駅までは電化されているため、野岩鉄道会津鬼怒川線を介して東武鉄道からも列車が乗り入れます。

　中荒井駅を出ますと、再び急な上り坂に挑まなくてはなりません。こう配は七ヶ岳登山口駅を過ぎますと25パーミルとなり、線路の周囲も再び背の高い木におおわれてきました。

　七ヶ岳登山口駅を出てすぐのところに羽塩沢という川があり、長さ33mの羽塩川橋りょうを通って越えていきます。しばらく行きますと、山王川が現れ、今度通るのは長さ100mの山王川橋りょうです。羽塩川、山王川の両橋りょうともアーチ形状の橋りょうで、めがね橋と呼ばれています。列車に乗っている

となかなか見づらいのですが、山王川橋りょうは右カーブの途中にありますので、列車の最前部か最後部に行きますと橋りょうの下の部分を見ることができるでしょう。

　列車は会津高原尾瀬口駅に到着しました。終点とはいえ、列車の前方から延びてきた野岩鉄道会津鬼怒川線と線路が結ばれているために、途中駅のようです。

◎会津鉄道の観光列車「お座トロ展望列車」は会津若松〜会津田島間を只見線、会津線経由で運転される。*

12

野岩鉄道
会津鬼怒川線
新藤原～会津高原尾瀬口間　［営業キロ］30.7km

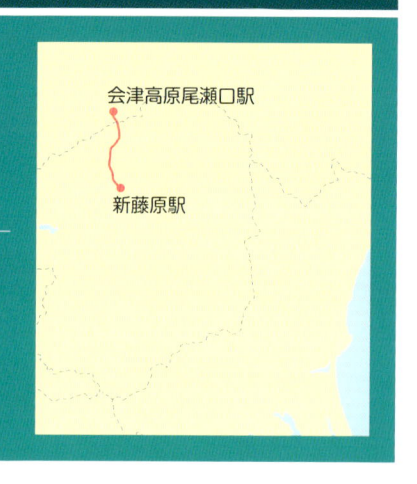
会津高原尾瀬口駅
新藤原駅

［最初の区間の開業］1986（昭和61）年10月9日／新藤原～会津高原尾瀬口間
［最後の区間の開業］—
［複線区間］なし
［電化区間］新藤原～会津高原尾瀬口間／直流1500ボルト
［旅客輸送密度］602人

栃木県と福島県を結ぶ路線

　野岩鉄道会津鬼怒川線の「野岩」とは、栃木県の旧国名である「下野」と福島県西部の旧国名である「岩代」との間を結ぶことから名付けられました。会津鬼怒川線の「会津」とは福島県西部の地域名、「鬼怒川」とは栃木県を流れる川で会津鬼怒川線が寄り添っている川です。鉄道会社名、路線名とも栃木県と福島県とを結ぶ路線であることを強く打ち出しています。

　会津鬼怒川線は東武鬼怒川線の列車も発着する新藤原駅を起点とし、会津鉄道会津線の列車も発着する会津高原尾瀬口駅を終点とする長さ30.7kmの路線です。いまあげた鬼怒川線と会津線とは乗り入れを行っておりまして、乗り換えは何回か生じますが、首都圏と会津若松との間を行き来することもできます。実際に鬼怒川線からは特急「リバティ会津号」、会津線からは快速「AIZUマウントエクスプレス」など、多数の列車が直通運転を行っており、成り立ちを知らされなければこれら3路線は同じ鉄道会社と考えても不思議ではないでしょう。

　プラットホームをはじめ、駅舎も鬼怒川線と共用する新藤原駅を出発した普通列車は北西に進み、トンネルを3つ通り抜けて1.7km隣の龍王峡駅に向かいます。終点の1駅手

●会津鬼怒川線の起点、新藤原駅。東武鬼怒川線の列車も発着し、会津鬼怒川線に東武鬼怒川線からの列車が多数乗り入れる。*

●龍王峡駅を降りると、日光国立公園のなかでも名勝地として知られる龍王峡へとアクセスできる。*

○男鹿高原駅から会津田島駅行きの快速列車が出たところ。冬になると会津鬼怒川線の沿線は多量の積雪に見舞われる。*

前の男鹿高原駅と終点の会津高原尾瀬口駅との間のほぼ中間にある峠を目指し、線路は上り坂です。会津鬼怒川線で最も急なこう配は23.5パーミルで、起点の新藤原駅と龍王峡駅との間だけで体験できます。

　本書でも多数紹介している他の山岳路線と同じく、山あいを行く会津鬼怒川線も深い谷間に線路が敷かれています。そのいっぽうで、会津鬼怒川線は1966（昭和41）年5月に建設工事が始められ、1986（昭和61）年10月9日に開業したという具合に、比較的新しい路線です。このため、場所によっては長いトンネルで一気に山を通り抜けていきます。会津鬼怒川線には18カ所のトンネルがあり、延長は17.6kmと、全体の57.3%がトンネル区間となり、景色を楽しむことはあまりできません。その代わりに列車は快調に進んでいき、目的地に早く到着できるのです。

　龍王峡駅を出た列車はすぐに小網トンネルに入ります。長さは2668mです。トンネルを通り抜けますと川治温泉駅。駅名の元となった川治温泉は実際にあります。でも、この駅を降りて行くよりも、次の川治湯元駅のほうが近くて便利です。

「温泉駅」がいくつも続く

　川治温泉駅を出ますと鬼怒川を渡ります。長さは300mあり、橋りょうの名称は第二鬼怒川橋りょうです。とはいえ、新藤原駅を出てから鬼怒川を渡るのはこの第二鬼怒川橋りょうが最初ですから、より起点に近い位置に架けられているはずの第一鬼怒川橋りょうはどこにあるのでしょうか。

　実は会津鬼怒川線の建設工事は終点の会津高原尾瀬口駅側から始められましたので、第一鬼怒川橋りょうは、より終点に近い場所に

架けられました。具体的には第二鬼怒川橋りょうを渡ってから長さ240mほどの川治向（かわじむかい）トンネルを通り抜けてすぐのところにあり、長さは294mです。第一鬼怒川橋りょうを渡り終えますと川治湯元駅に到着します。

川治湯元駅を出発しますとすぐにトンネルです。このトンネルは会津鬼怒川線で最も長い葛老山（かつろうやま）トンネルで長さは4250mあります。トンネルの出口付近で列車は止まってしまいました。ここは湯西川温泉駅（ゆにしがわおんせん）です。

湯西川温泉駅から駅名の元となった湯西川温泉へは西北西に直線距離で約10kmあり、山道でもありますので、駅前を発着するバスを利用しなくては行けません。その代わり、この駅は道の駅湯西川に直結していて、こちらには足湯が設けられています。

湯西川温泉駅、そして葛老山トンネルを出ますとすぐに湯西川橋りょうです。山と山との間に架けられた橋でして、山肌を埋めつくす木々の緑が鮮やかに感じられます。また、列車の右側に注目してください。五十里（いかり）ダムによって男鹿川（おじかがわ）をせき止めた結果生まれた五十里湖が見えてきます。

湯西川橋りょうを渡りますとトンネルまたトンネルの連続で中三依温泉（なかみよりしおんせん）駅に到着です。駅名の元となった中三依温泉は駅から徒歩3分の場所にあります。

上三依塩原温泉口（かみみよりしおばらおんせんぐち）駅の手前あたりから外を走る機会が増えてきました。線路の周囲は広葉樹を主体とした林です。上三依塩原温泉口から塩原温泉へは東南東に直線距離で約10km。駅前からはバスで行くことができます。

引き続きトンネルではなく谷間を進み、男鹿高原駅です。山は深くなり、男鹿高原駅を

●湯西川温泉へのバス乗り換え拠点の湯西川温泉駅。駅の隣には道の駅湯西川が設けられている。

●長さ240mの湯西川橋りょうを渡る会津鬼怒川線の普通列車*

出ますと長さ3441mの山王トンネルに進入します。トンネルに入って約2kmほどの場所が峠で、同時に栃木県と福島県との境です。トンネルを通り抜けますと列車は北北西から北北東へと進路を変え、終点の会津高原尾瀬口駅に到着します。

13

わたらせ渓谷鐵道

わたらせ渓谷線

桐生〜間藤間　[営業キロ]44.1km

[最初の区間の開業] 1911（明治44）年4月15日／下新田〜大間々間
[最後の区間の開業] 1914（大正3）年11月1日／足尾〜間藤間
[複線区間] なし
[電化区間] なし
[旅客輸送密度] 457人

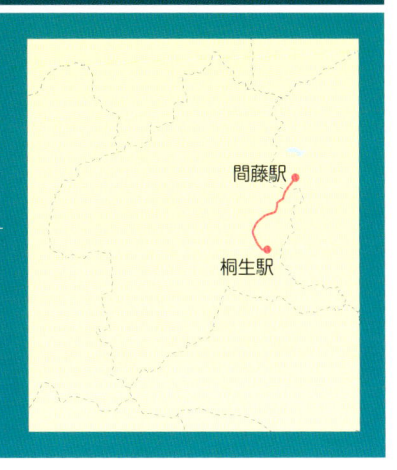

間藤駅

桐生駅

足尾との関わりが非常に深い路線

　わたらせ渓谷鐵道のわたらせ渓谷線は、JR東日本の両毛線の列車が発着する駅であり、群馬県桐生市にある桐生駅を起点としています。終点は栃木県日光市の間藤駅で、起点から終点までの距離は44.1kmです。

　この路線はもともと国鉄の足尾線で、その前は足尾鉄道という私鉄でした。終点の間藤駅が栃木県日光市の足尾町にあり、間藤駅の1駅桐生駅寄りには足尾駅が設けられているという具合に、わたらせ渓谷線は足尾との縁が非常に深いことがわかります。

　わたらせ渓谷線の前身、足尾鉄道は1911（明治44）年4月15日にいまの下新田駅と大間々駅との間を開業させ、1914（大正3）年11月1日には今日営業を行っている区間がすべて開業しました。本書で取り上げた多くの路線が大正時代中期以降に開業したことを考えますと、わたらせ渓谷線の開業時期は早いといえます。その理由はやはり足尾にありまして、ここで産出された銅を輸送するために鉄道が必要であったからです。

　起点の桐生駅はJR東日本と一緒に使用している駅で、線路やプラットホームはもとより、駅舎も両毛線と共同となっています。わたらせ渓谷線の列車は両毛線の線路を終点の新前橋駅方面、大まかにいいますと西に向かって進み、なかなか分かれていきません。長さ262mの渡良瀬川橋りょうを渡り終えてほ

○駅舎に入浴や食事を楽しめる施設を併設した水沼駅に、間藤方面行き、桐生方面行き双方の普通列車が到着した。*

どなく線路が右へと分かれ、ここからようやく自前の線路となります。列車の左側に両毛線の電車を留置する線路が見えたころ、下新田駅に到着です。

下新田駅を出発しますと列車は右に曲がり、それまで走っていた南西から北西へと向きを変えていきます。カーブを曲がり終えたころ、列車の左隣に電化された単線が現れました。そのまま並走し、相老駅（あいおい）に到着します。

並行していたのは東武桐生線（とうぶ）の線路です。相老駅を出ますと北北東に進むわたらせ渓谷線に対して、桐生線は北東方向に分かれて終点の赤城駅（あかぎ）を目指します。いっぽうのわたらせ渓谷線は次の運動公園駅までは桐生市の市街地を走り、桐生市から群馬県みどり市に入ってもまだ都会の街並みのなかを進み、大間々駅まであまり様子は変わりません。

大間々駅は車両基地が設けられた駅です。

構内の線路には、日によって観光列車のトロッコ列車に用いられる窓のない車両が止まっている姿を見ることもできるでしょう。

広々とした構内をもつ大間々駅を後にした列車は、渡良瀬川によって形成された狭い谷間を走るようになります。線路の周囲には木々が茂り、見通しが利かなくなってきました。ほぼカーブばかりといってよいほど曲線が続き、カーブの半径は最も急なところで157mです。ディーゼルカーは車輪をレールにきしませながらも軽やかに走って行きます。

引き続き緑の中を進みますと水沼駅（みずぬま）が現れました。列車の右側に設けられたプラットホームにはとても立派な和風の駅舎があります。この駅舎には水沼駅温泉センターが設けられており、入浴や食事が楽しめ、休憩も可能です。入浴時間は10時30分から19時までとなっています。

小中駅を出ると、渓谷線の趣が深まる

水沼駅を出ますとしばらくは深い林の中を列車は行き、やがて各所で右側に渡良瀬川が姿を見せるでしょう。それにしてもカーブの数はとても多く、しかも半径は100m台と過酷です。そのようななか、中野駅（なかの）を出てしばらくしますと、700mほど直線が続く区間が現れます。木々が途切れている場所からは列車の右側を流れる渡良瀬川を眺めることができ、一息つける場所といえるでしょう。

小中駅（こなか）を出ますと、右側に渡良瀬川が見える度合いが高まります。いよいよ、わたらせ渓谷線といった趣です。渡良瀬川に沿って南に進み、次に左に曲がって東へ向かう途中に短いトンネルに入ります。

このトンネルを通り抜けますと、列車の左側に地蔵の滝が現れました。落差がおよそ70mのこの滝はわたらせ渓谷線の列車からで

●わたらせ渓谷線の列車からでないとよく見えないとして知られる地蔵の滝のそばを、観光列車の「トロッコわたらせ渓谷号」が行く。

○神戸駅から始まった新線区間は写真の沢入駅まで続く。写真前方は間藤方面への線路で、大正時代に開通した線路だ。*

○わたらせ渓谷線の終点、間藤駅。この駅からさらに北の足尾本山駅まで、貨物専用の線路が延びていた。*

○わたらせ渓谷線の建設と切っても切れない関係にあるのが足尾銅山である。写真は間藤駅北の精錬所跡で公開されていないが、通洞駅近くの足尾銅山観光で鉱山の跡を見学可能だ。

ないときれいに見ることができないため、別名「汽車見の滝」とも呼ばれているそうです。普通列車に乗っていても車掌の案内放送があり、なかには滝のある場所で止まってくれる列車もあります。

神戸駅を出発した列車の先に見えるのは東に一直線に延びた線路です。いままでのカーブ続きがうそのように感じるまもなく、列車は長さ5242mの草木トンネルに入り、左に曲がった後、一直線に北北東を目指します。トンネルの出口付近で右に曲がって列車は西南西に向き、出ると同時に鋼材を三角形に組んだトラス橋が架けられた渡良瀬川を渡って再びトンネルです。こちらはそう長くもなく、北北東に向きを変えて沢入駅となります。神戸駅と沢入駅との間は足尾鉄道が建設した線路ではありません。渡良瀬川に建設された草木ダムによって線路が水没することとなり、1973（昭和48）年6月27日にいま通った新線に切り替えられました。

沢入駅から再びカーブ続きの線路に戻ります。神戸駅から始まった20パーミルを超える上り坂もディーゼルカーにはいっそう過酷で

す。木々の中を分け入りながらもやがて開けた場所となり、通洞駅に到着します。

この駅は足尾町の中心に近く、また足尾銅山と呼ばれた銅の産出施設の跡を見学することも可能です。足尾銅山観光と呼ばれる坑内観光施設は通洞駅から徒歩5分ほど。国内で最も多くの銅が産出された栄光の歴史とともに、わたらせ渓谷線の沿線に深刻な被害をもたらした鉱毒という負の歴史にも目を向けてください。

列車は足尾町の市街地を進み、足尾駅に止まります。市街地が途切れて、やや緑が目立つなかを列車は走り、終点、間藤駅です。

14

上信電鉄 上信線

高崎〜下仁田間　[営業キロ]33.7km

[最初の区間の開業]1897（明治30）年5月10日／高崎〜上州福島間
[最後の区間の開業]1897（明治30）年9月25日／南蛇井〜下仁田間
[複線区間]なし
[電化区間]高崎〜下仁田間／直流1500ボルト
[旅客輸送密度]2583人

高崎駅

下仁田駅

名称とは違い、信濃には通っていない

　群馬県高崎市の高崎駅を起点とし、同じく群馬県下仁田町の下仁田駅を終点とする上信電鉄上信線は長さ33.7kmの路線です。上信線の「上」とは群馬県の旧国名の上野から、「信」とは長野県の旧国名の信濃からそれぞれ取って名付けられました。実際の上信線は上野、つまり群馬県にしか敷かれていません。下仁田駅から直線距離で27kmほど西に行きますと長野県佐久市となりますが、この間には標高1423mの荒船山をはじめとする険し

い山々がそびえ、鉄道の建設工事は容易ではありません。高崎〜下仁田間は1897（明治30）年9月25日までに開業と、現存する民営の鉄道のなかでは愛媛県の伊予鉄道に次いで早く鉄道を整備したものの、その後、信濃方面に線路が延ばされなかったのも仕方がないでしょう。

　上信線の起点である高崎駅はJR東日本の上越新幹線、北陸新幹線、高崎線、信越線、上越線の各路線が集まり、しかも同社の在来

◯佐野のわたし駅に上信線の普通列車が停車しているところ。写真右の高架橋を通るのはJR東日本上越新幹線のE4系新幹線電車、写真左を流れるのは烏川だ。

線に乗り入れて高崎駅を発着する列車も多数あり、全国有数の鉄道の一大拠点です。広大な構内をもつ高崎駅の最も西側に上信線のプラットホームは設けられており、南北方向に線路が敷かれたこの駅から南に向かって列車は走り出します。

　前方に見える多目的ホールの高崎アリーナへと向かった列車はこの巨大な施設を右にかわし、ほどなく南高崎駅に到着です。線路の周囲は高崎市の市街地で、住宅はもちろん工場や事務所の姿も目立ちます。

　しばらく行きますと、上信線の線路の上空を右斜め前方から左斜め後方へと横切る上越新幹線の高架橋が見えてきました。と同時に

単線の線路が2本の線路に分かれます。列車同士の行き違いを実施する佐野信号所です。信号所とは私鉄に対する法規を定めた地方鉄道法に基づく名称で、今日では地方鉄道法は鉄道事業法に変わりまして、信号場と呼ばれます。ただし、上信電鉄に限らず、信号所として開設されたところはいまもそのままの名称で呼ばれることが多いようです。

　興味深いことにこの信号所では、行き違いの際に列車が停止しないケースも見られます。2両編成で40m余りという列車の長さに対し、信号所内の線路の長さが約230mと、余裕があるからかもしれません。

真っすぐな線路が5kmも続く

　上越新幹線の高架橋をくぐった列車は右にカーブして進路を南西に変え、再び上越新幹線の高架橋の下を通ります。くぐり終えてほどなく佐野のわたし駅です。駅名の由来は駅にほど近い烏川にかつて渡し船があったことに由来しています。

　北東から南西に向けて架けられた烏川橋り

ょうを渡り終えた列車は左に曲がってしまいました。下仁田駅は南西向きにありますから、反対に走っていることとなります。関東平野に発展した高崎の市街地のなかで、ちょうどこのあたりには小高い丘があり、遠回りをしているのです。迂回は根小屋、高崎 商 科大学前、山名の各駅を経ておよそ3kmに及びま

○2014（平成26）年12月22日の開業と、上信線の駅のなかで最も新しい佐野のわたし駅

○山名駅に停車中の普通列車。写真の電車は群馬サファリパークの広告車両で、「サファリ列車」と呼ばれる。*

世界遺産の富岡製糸場では内部も見学可能で、クラシックな製造機器は明治時代の姿をいまに伝える。*

す。列車は山名駅を出ますと西南西を目指して右に曲がり、これで一区切りつきました。

西南西に走り続ける列車は吉井駅からは西に向かいます。線路の周囲は市街地ながら、水田も目立ってきました。特筆されるのは直線がちな線路です。吉井駅と次の西吉井駅との間のほぼ中間から上州新屋駅を経て、上州福島駅を出た先までのおよそ5kmの間、線路は真っすぐ敷かれています。

上州富岡駅は群馬県富岡市の中心の駅です。と同時に世界遺産の富岡製糸場へは約1kmの道のりと、観光の拠点でもあります。富岡製糸場は生糸を輸出する目的で1872（明治5）年に国が建設した器械製糸工場で、当時その規模は世界最大級であったそうです。明治初期に建てられた赤レンガの工場はいまもほぼそのままで残されており、富国強兵につとめた世相をうかがい知ることができます。もちろん、上信線も生糸の輸送に従事してきました。

線路は相変わらず直線が多く、平坦基調な地形であることがわかります。上信線は下仁田駅に向けてほぼ一方的に坂を上る形となっているものの、そのこう配は最も急な場所でも16.7パーミルで、電車にとっては特に問題にはなりません。線路の周囲は駅の近くで市街地、駅と駅との間は水田や畑が目立つといったところです。

同じような景色も、終点の1駅手前の千平駅でやや変化が見られます。列車の右側には標高436mの浅間山がそびえていて、山すそを通り抜けるために線路の周囲は山地を切り取った斜面となっているからです。右へ左へと曲がりながら北から南へと進む列車の前にごく短い白山トンネルが現れました。このトンネルを通り抜ければこんにゃくやネギの産地として知られる下仁田町の市街地に入り、終点の下仁田駅に到着します。

上信線の終点、下仁田駅はこんにゃくやネギの産地で知られる群馬県下仁田町に開設されている。

15

鹿島臨海鉄道
大洗鹿島線

水戸〜鹿島サッカースタジアム間　［営業キロ］53.0km

［最初の区間の開業］1985（昭和60）年3月14日／水戸〜鹿島サッカースタジアム間
［最後の区間の開業］—
［複線区間］なし
［電化区間］なし
［旅客輸送密度］1880人

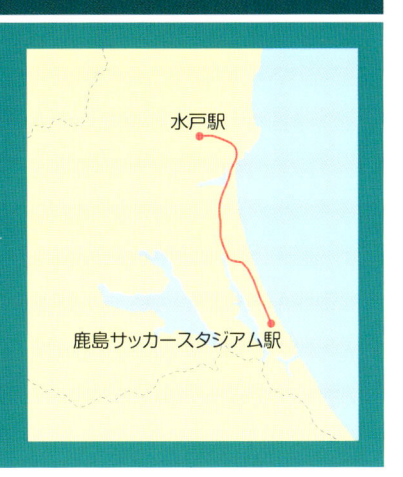

水戸駅

鹿島サッカースタジアム駅

高架橋が32％を占める近代路線

　鹿島臨海鉄道の大洗鹿島線は茨城県水戸市の水戸駅と同じく茨城県鹿嶋市の鹿島サッカースタジアム駅までの53.0kmを結ぶ路線です。ただし、終点の鹿島サッカースタジアム駅は、駅のすぐ東側にあるカシマサッカースタジアムでサッカーの試合が行われる日以外は営業を行わず、すべての列車は通過してしまいます。列車はどこに行くかといいますと、JR東日本の鹿島線に乗り入れ、1駅、3.2km先の鹿島神宮駅まで走って終着です。ところで、鹿島線の鹿島神宮〜鹿島サッカースタジアム間は、JR東日本の列車は通常は運転されていません。そこで、この区間も大洗鹿島線と一緒に紹介しましょう。

　大洗鹿島線の建設工事は1971（昭和46）年3月に始められ、1985（昭和60）年3月14日に開業しています。このため、近代的な装いを備えており、特に高架橋の延長が17.0kmと全体の32％を占めている点が特徴です。

　南北に線路が敷かれている水戸駅では、JR東日本常磐線や同じく水郡線とプラットホームや駅舎を共用しており、最も南側の8番

○大洗鹿島線の起点、水戸駅。JR東日本の常磐線や水郡線と駅舎やプラットホームは一緒だ。著者撮影

線から大洗鹿島線の列車は発着します。東に向けて出発した列車は1.8kmほど常磐線の線路と並走し、やがて高架橋を上り始めました。前方に鋼鉄を三角形の枠に組み立てたトラスの橋げたが見えてきたところで常磐線ともお別れです。カーブしながら桜川を長さ288mの桜川橋りょうで渡っていきます。

　桜川橋りょうを通り抜けた後は高架橋の区間です。水戸市の市街地を見下ろしながら列

車は東南東へと一直線に進んでいきます。直線区間の長さは東水戸、常澄の両駅を経て約6.5km。列車は右にカーブして南南西へと進路を変え、涸沼川を渡って高架橋を降りますと大洗駅に到着です。

車庫が設けられ、広々とした駅構内が特徴の大洗駅では、ディーゼルカーが休んでいる線路の上に門型のものが置かれています。これは洗車機で、車体を洗浄するための装置です。ガソリンスタンドに設置してあるものとは異なり、装置自体は動かず、車両が動いて車体をきれいにします。

大洗駅を出ますと列車は再び高架橋を上り、すぐに前方にトンネルが現れました。このトンネルは大貫トンネルといいまして、長さは1380mと大洗鹿島線では最長です。大貫トンネルで通り抜ける丘の標高はわずか36mしかありません。トンネルを掘るときにトンネルの上の土の厚さが平均して9mと少なかったため、トンネル上部に住宅が建ち並び、国道51号が通る山を崩さないように工事を行うのに苦労したそうです。

涸沼駅を出ますと、再び高架橋が始まります。線路の周囲は水田が主なもので、特に道路の交差が多いということはありません。にもかかわらず、地上に線路を敷かなかった理由の一つとしてあげられるのは、用地を取得するための費用を節約したかったからです。

日本最長タイの駅名とは？

一般に、地上に線路を敷くためには土を盛って築堤として平面にしなければなりません。築堤としますと高さにもよりますが、単線であっても幅は20m近く必要になります。ところが、高架橋ですと橋脚を垂直に立てられますから、線路の部分と同じく幅は6m程度で済むのです。高架橋を築くための建設工事費は結構な額に上りますが、土地代が高い所では高架橋をつくるほうがかえって得となります。このような理由で大洗鹿島線には高架橋が多く、また同じ年代につくられた山陽新幹線の岡山〜博多間ですとか東北新幹線の大宮〜盛岡間、上越新幹線には高架橋が目立つのです。

高架橋の区間は鹿島旭駅付近で途切れます。平坦な区間を走っているのですが、線路の周囲は開けてきません。斜面を削ってつくった切り土の区間を通っているために見通しが利かないのです。切り通しが終わってやっと築堤の上を走ったかと思うと、今度は線路の周囲に背の高い針葉

◉霞ヶ浦を構成する湖である北浦越しに大洗鹿島線の高架橋を望む。新鉾田〜北浦湖畔駅間*

◯北浦湖畔駅から北浦を見たところ。高架橋となっているのは用地取得費の節約のほか、北浦周辺の地盤が悪いため、頑丈な線路を築く必要に迫られたからだ。*

◯大洗鹿島線の終点は鹿島サッカースタジアム駅だが、隣接するカシマサッカースタジアムでサッカーの試合が行われるとき以外は旅客列車は停車しない。

◯JR東日本鹿島線の鹿島神宮駅。実質的に大洗鹿島線の終点でもある。

樹林が並んでいます。

　高架橋上の新鉾田駅を出た後も高架橋は続き、やがて列車の右側に水面が見えてきました。霞ヶ浦を構成する湖沼の一つ、北浦です。列車が北浦に最も接近したあたりで左に曲がり、北浦湖畔駅に到着です。単線に屋根のないプラットホームが片面に設けられただけの駅で、地上との行き来は階段で、しかも駅舎はなしという簡素なつくりをしています。とにもかくにもプラットホームから北浦を眺めることが可能です。

　北浦湖畔駅からいったん東へと進んだ列車は大洋駅を過ぎますと再び南南東を目指します。ほぼ一直線に進む列車は長者ヶ浜潮騒はまなす公園前という、とても長い名の駅に到着しました。駅の周辺は住宅地で、長者ヶ浜も潮騒はまなす公園も見当たりません。大野潮騒はまなす公園が駅から約900ｍ東に行ったところにあり、長者ヶ浜と呼ばれているかどうかはわかりませんが、鹿島灘に面した海岸はこの公園から700ｍほどの東にあります。

　この駅は「～駅」を除いた部分のひらがなで22文字もあり、南阿蘇鉄道高森線の南阿

蘇水の生まれる里白水高原駅と並んで日本最長タイだそうです。しかし、呼びにくいうえにわざわざ長くしたように思えて感心しません。鹿島臨海鉄道でも業務上は「公園前駅」と呼んでいるようであり、駅の手前にも「公園前」と記された標識が建てられています。

　ひたすら南南東に進んできた列車は鹿島サッカースタジアム駅に近づきました。通常ですと通過しますので、そのまま鹿島線に乗り入れます。鹿島線は電化されているので、違いは一目瞭然です。鹿島神宮北側の敷地を通り抜け、やはり高架駅の終点、鹿島神宮駅に着いて大洗鹿島線の旅は終わります。

16

JR東日本・JR貨物
奥羽線

福島〜青森間、土崎〜秋田港間　[営業キロ]486.3km

[最初の区間の開業]1894（明治27）年12月1日／弘前〜青森間
[最後の区間の開業]1907（明治40）年4月10日／土崎〜秋田港間
[複線区間]福島〜関根間、赤湯〜北赤湯信号場間、羽前中山〜羽前千歳間、芦沢〜舟形間、及位〜院内間、大曲〜追分間、羽後飯塚〜八郎潟間、鹿渡〜森岳間、鶴形〜前山間、鷹ノ巣〜早口間、大館〜長峰間、石川〜川部間
[電化区間]福島〜青森間／交流2万ボルト／50ヘルツ　[旅客輸送密度]5139人

新幹線も走るローカル線！？

　起点の福島駅から山形駅、秋田駅と県庁所在地の代表駅を通って終点の青森駅へと至るJR東日本、JR貨物の奥羽線は営業キロが486.3kmと、国内有数の長さの路線です。このうち、福島駅と山形県の新庄駅との間の148.6km、秋田県の大曲駅と青森駅との間の237.5kmには多数の特急列車が行き交っています。福島〜新庄間と大曲〜秋田間とでは、東北新幹線と直通する特急列車も運転されているほどです。奥羽線という名前を知らなくても山形新幹線、秋田新幹線という名称を聞いたことがある人も多いことでしょう。

　幹線の奥羽線にあって新庄〜大曲間の98.4kmには特急列車は走っていませんし、普通列車の本数もまばらです。JR東日本によりますと、この区間の2016（平成28）年度の旅客輸送密度は981人であったそうで、数値だけを見ますと、ローカル線の趣を漂わせています。理由は2つあり、一つは山形県と秋田県との県境を通過と、もともと人の行き来が少なかったからです。そして、1997（平成9）年3月22日に秋田新幹線として、東北新幹線、田沢湖線、奥羽線経由で東京〜秋田間が結ばれるようになった結果、この区間から特急列車が姿を消したという理由も挙げられます。でも、それだけにこの区間は魅力に満ちた鉄道といえるのです。本書では新庄〜大曲間にスポットを当てたいと思います。

　新庄駅を出発した普通列車は一直線に北を目指します。市街地はすぐに途切れ、線路の周囲には水田または針葉樹林が広がり、駅周辺は市街地といった具合です。
　真室川駅を出て4kmほど走りますと、真室川によって形成された谷間を走るようになり

○奥羽線の拠点駅である新庄駅には、奥羽線や山形新幹線の列車をはじめ、陸羽東線や陸羽西線の列車も発着する。

●JR東日本の701系交流電車は、奥羽線新庄～大曲間をはじめ、大曲～青森間でも普通列車として用いられる。神宮寺駅　著者撮影

ます。同時に最も急なところで18.2パーミルのこう配のある上り坂が始まりました。線路の周囲は先ほどよりもひときわ高く成長した針葉樹林、そしてところどころで水田が現れます。地形の関係でしょうか。上り坂がひたすら続くのではなく、途中で短いながらも平坦（へいたん）な区間が何度も現れ、そしてまた上り坂と繰り返します。

　大滝（おおたき）駅を過ぎますといよいよ上り坂一辺倒になってきました。線路の周囲は案外開けており、水田地帯です。しかし、それも及位第一トンネルを通り抜けますとがらりと変わり、深い谷間を走るようになります。

　第二、第三と及位トンネルを通過しますと、及位駅。ここで線路は複線になり、20パーミルのこう配を上って、峠を目指します。長さ1356mの院内（いんない）トンネルの途中に峠はあり、トンネルを出ますと秋田県に入り、20パーミルのこう配を下っていきます。

　峠の坂道を降りきったところで院内駅に到着です。ここから先はほとんど平坦で、しかも周囲は水田地帯を行きます。

　横手（よこて）駅を出ますと線路の周囲はさらに広々としてきました。この駅から3kmほどのところで一度左に曲がりますと、約15kmにわたって一直線に進みます。久しぶりにカーブが現れたと思ったら列車は速度を落とし、大曲駅に到着です。

●横手～大曲間では約15kmにわたって線路が一直線に延びている。飯詰（いいづめ）～大曲間　著者撮影　踏切から撮影

●奥羽線、田沢湖線、秋田新幹線の列車が発着する大曲駅　著者撮影

17

JR東日本
陸羽西線
新庄〜余目間　［営業キロ］43.0km

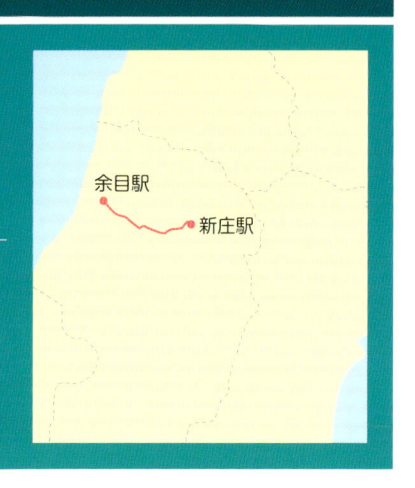
余目駅　新庄駅

［最初の区間の開業］1913（大正2）年12月7日／新庄〜古口間
［最後の区間の開業］1914（大正3）年9月20日／狩川〜余目間
［複線区間］なし
［電化区間］なし
［旅客輸送密度］391人

『おくのほそ道』の2つの名所を通る

　陸羽西線の「陸羽」とは、いまの宮城県と岩手県の一部である陸前と、いまの山形県の羽前とを意味します。しかし、この路線は陸前は通っていません。陸羽西線と対を成す陸羽東線が陸前につくられたのです。

　新庄駅を出発した普通列車は奥羽線に沿って北に1kmほど並走した後、北西に分かれ、南西に大きく曲がって余目駅を目指します。

ほぼ西向きに走る列車の両側に広がっているのは水田です。水田地帯は升形駅を出たあたりで途切れ、針葉樹が目立つ狭い谷間を進みます。

　羽前前波駅を出ますと再び水田地帯となり、時折針葉樹林が現れるといった具合でしょうか。津谷駅を過ぎ、針葉樹林を抜けますと、急に視界が開けてきました。そのまま列車は

●高屋駅は最上川が形成した狭い谷間に設けられた。仙人堂や白糸の滝への船着き場の最寄駅でもある。*

○雪に埋もれた古口駅に到着した普通列車。最上川芭蕉ライン舟下りの乗船場が近くにある。*

○陸羽西線で用いられているJR東日本のキハ111・112形ディーゼルカーの車内。写真のように実用的な向かい合わせの腰掛を備えた車両のほか、景色を見やすいよう、1人がけの腰掛を窓に斜めに向けられるようにした車両も存在する。*

直進し、三角形を組み合わせたトラス構造の鉄橋を渡ります。第一最上川橋りょうです。

　長さ453mのこの橋りょうで、松尾芭蕉が『おくのほそ道』で「五月雨をあつめて早し最上川」と詠んだ最上川を渡ります。歌われているとおり、この川の流れは早く、橋りょうの建設には苦労が絶えませんでした。雪解け水で増水した1907（明治40）年3月には、川底に築かれた橋脚の基礎部分が流されてしまい、その上に建てた橋脚が傾くとともに亀裂が生じてしまったそうです。

　古口駅を出ますと、列車は最上川がつくった狭い谷間を通ります。最上川は列車からそう遠くない右側を流れていますが、草木が生い茂っていることもあり、あまりよく見えません。

　そそり立つ針葉樹林に囲まれた高屋駅から山道を降りること2分。最上川の船着き場があります。渡し舟で向かう先は『おくのほそ道』で松尾芭蕉が訪れた外川神社（仙人堂）です。乗船時間は3分ほどとすぐですが、この神社には船でしか行くことができません。

　高屋駅を出てトンネルを2つ抜けたところでは、線路がやや高い位置を通るので、並走

○高屋～清川間で見ることのできる白糸の滝。舟下りの船なら対岸に渡っての見学も可能だ。*

する国道47号越しに最上川を眺めることができます。国道と最上川との間に草薙温泉の温泉旅館群が見えてきたら、最上川の先をよく見てください。やはり松尾芭蕉が『おくのほそ道』で記した白糸の滝が見えてきます。この滝は落差が120mあり、よく見ますと河原には鳥居が建てられていることがわかるでしょう。

　狩川駅まで来ますと、線路は最上川から離れます。あとは一面の水田地帯をほぼ西北西に進み、終点余目駅に到着です。

18

JR東日本
気仙沼線
けせんぬま

前谷地〜気仙沼間　[営業キロ] 72.8km
まえやち　けせんぬま

[最初の区間の開業] 1956（昭和31）年4月11日／南気仙沼〜気仙沼間
[最後の区間の開業] 1977（昭和52）年12月11日／柳津〜本吉間
やないづ　もとよし
[複線区間] なし
[電化区間] なし
[旅客輸送密度] 67人

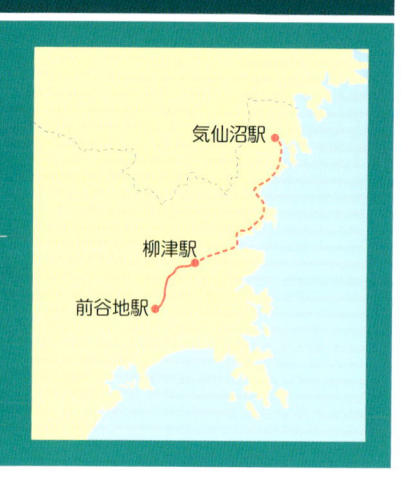

気仙沼駅

柳津駅

前谷地駅

「ササニシキ」の水田地帯を行く

気仙沼線は石巻線の前谷地駅と大船渡線の気仙沼駅との間の72.8kmを結ぶ路線です。しかし、東日本大震災により全線にわたって被害が生じます。特に津波による被害の大きかった柳津駅と気仙沼駅との間の55.3kmは鉄道ではなく、BRT（バス高速輸送システム）によって2012（平成24）年8月20日に暫定的に、同年12月22日からは本格的に運行が再開されました。いっぽう、前谷地〜柳津間17.5kmは東日本大震災の起きた翌月の4月29日に復旧し、いままでと同じようにディーゼルカーが走っています。なお、2015（平成27）年6月27日からBRTの営業区間は前谷地〜柳津間にも延び、この区間は鉄道、バスの両方を選ぶことができます。本書では前谷地〜柳津間の鉄道の気仙沼線を紹介しましょう。

東西に走る石巻線の前谷地駅から東に向けて出発した気仙沼線の普通列車はすぐに石巻線と分かれ、北東にほぼ一直線に進んでいきます。線路の周囲は広大な水田地帯です。「ひとめぼれ」「ササニシキ」といった品種の米が耕作されています。

ほとんど平坦な水田地帯を進んでいきますと、列車の前方左側に小高い山が見えてきま
へいたん

○東日本大震災による津波で橋げたが流失した津谷川橋りょう。陸前小泉〜気仙沼間
つやがわ　りくぜんこいずみ

○橋脚が流出した津谷川橋りょうを間近で眺めたところ。線路も一緒に流されてしまったため、残った橋げた上の線路は取り外された。

● 気仙沼線前谷地〜柳津間ではJR東日本のキハ110形ディーゼルカーが使用される。写真のような1両での運転のほか、朝夕のラッシュ時には2両以上連結して走る機会も多い。

した。標高173mの和淵山です。なおも近づくと線路は左に曲がり、そのカーブの途中に設けられた和渕駅に列車は停止します。

和渕駅を出ますと和淵山を長さ153mとごく短い和渕トンネルで通り抜け、すぐに江合川橋りょうです。江合川を渡り終えた列車の向きは北北東で、再び線路の周囲は水田地帯となります。相変わらず線路はほとんど平坦ですが、のの岳駅と山の名前の付いた駅に到着しました。

のの岳駅は駅から西北西におよそ4.3kmほどのところにある箟岳山にちなんだ駅名です。この山の頂には箟峯寺という奥州三十三霊場の第九番札所に数えられる寺があり、寺の近隣には旅館や温泉もあります。しかし、駅の周囲には民家があるだけで駅前広場はなく、バスやタクシーなども発着していないため、のの岳駅から箟岳山をめぐるには歩くしかありません。

● 鉄道としての復旧が事実上断念された柳津〜気仙沼間にある志津川駅はBRTの駅として再出発を果たした。

全体を通して平坦な水田地帯を行く前谷地〜柳津間にあって最も変化に富んだ区間は御岳堂駅と柳津駅との間です。短いトンネルを2つくぐった直後に北上川を渡ります。橋りょうの長さは619メートルあり、鋼鉄を三角形に組み立てたトラス橋が架け渡されました。北上川を渡ると市街地が姿を見せ、柳津駅に到着します。

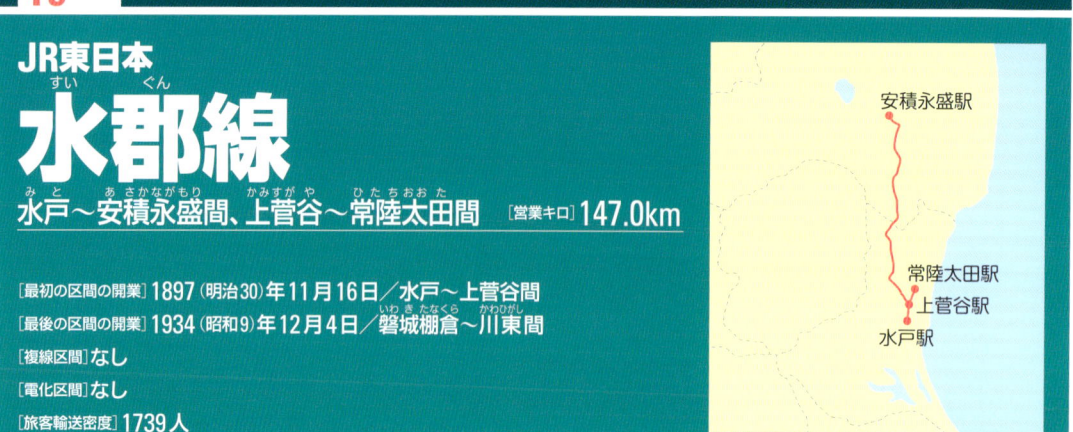

19

JR東日本
水郡線
水戸～安積永盛間、上菅谷～常陸太田間　［営業キロ］147.0km

［最初の区間の開業］1897（明治30）年11月16日／水戸～上菅谷間
［最後の区間の開業］1934（昭和9）年12月4日／磐城棚倉～川東間
［複線区間］なし
［電化区間］なし
［旅客輸送密度］1739人

玉川村駅を過ぎると、景色が一変

　JR東日本の水郡線は、常磐線の水戸駅を起点とし、東北線の安積永盛駅に向かう路線、そして途中の上菅谷駅から分かれて常陸太田駅に向かう路線とで成り立っています。水郡線の「郡」とは東北線の郡山駅を指し、安積永盛駅から1駅、盛岡駅寄りです。路線名のとおり、安積永盛駅を発着するすべての列車は郡山駅まで乗り入れます。

　水戸駅と上菅谷駅を経て常陸太田駅との間は太田鉄道、それから上菅谷駅と常陸大宮駅

との間はやはり私鉄の水戸鉄道の手によって1918（大正7）年10月23日までに開業を果たしました。常陸大宮駅と安積永盛駅との間は国が1920（大正9）年6月から建設を担当し、郡山駅を目指して工事が進められます。1927（昭和2）年12月1日には私鉄として開業した部分が国有化され、1934（昭和9）年12月4日に全線開業を果たしました。

　東西方向に走る常磐線の岩沼駅方面に出発した普通列車はすぐに常磐線と分かれ、北上

○秋になると水郡線の沿線では見事な紅葉を各所で見ることができる。矢祭山～東館間

❍久慈川によって形成された緑豊かな谷間を行く水郡線の普通列車。下野宮〜矢祭山間*

❍水郡線をJR東日本の団体旅行用の電車「リゾートエクスプレスゆう」が行く。非電化区間であるため、水郡線ではディーゼル機関車がけん引している。

します。線路の両側に斜面が迫る切り通しの区間を抜けますと、長さ337mの那珂川橋りょうです。この橋りょうは那珂川の川幅を広げる改良工事に伴って2011（平成23）年4月に架け替えられました。那珂川を渡っても橋りょうは続き、高架橋となって茨城県道の市毛水戸線を越えていきます。線路は下り坂となって地平面に降りますと常陸青柳駅です。

水戸〜常陸大宮間、上菅谷〜常陸太田間の沿線は比較的人口が多く、列車の周囲に広がる風景も市街地が目立っていました。あまりローカル線という趣がないなか、玉川村駅を過ぎたあたりから様子は一変します。市街地は途切れ、線路の周囲に立ち並んだ広葉樹林を縫って進むようになるからです。

山方宿駅を過ぎますと山地と久慈川とに挟まれた狭い平地を通り抜けるようになります。下小川駅を出て初めて久慈川を渡ると、いよいよ山の斜面が線路に迫ってきました。このあたりでは江戸時代に金の採掘が行われており、水郡線の建設工事の最中に金鉱が見つかったこともあったそうです。金山であった名残は下小川駅の次の西金という駅名に残っています。

うねうねと曲がりくねった久慈川との並走は城下町であった棚倉町に設けられた磐城棚倉駅まで。その後は水田地帯が多くなります。ただし、列車は里白石駅と磐城石川駅との間、磐城石川駅と野木沢駅との間、川東駅と谷田川駅との間には距離は短いながらも最も急で25パーミルのこう配の峠越えに挑まなくてはなりません。

磐城守山駅を出てしばらくすると阿武隈川を渡ります。渡り終えると東北線に寄り添い、1kmほど走りますと終点の安積永盛駅です。

❍樹齢600年を超える見事な江戸彼岸桜の「戸津辺の桜」を背景に、水戸を目指す水郡線の普通列車。磐城石井〜磐城塙間

20

JR東日本
烏山線
宝積寺～烏山間 ［営業キロ］20.4km

［最初の区間の開業］1923（大正12）年4月15日／宝積寺～烏山間
［最後の区間の開業］—
［複線区間］なし
［電化区間］なし
［旅客輸送密度］1462人

宝積寺駅　烏山駅

電化区間が100mだけ存在する路線

　烏山線は栃木県高根沢町にある宝積寺駅を起点とし、栃木県那須烏山市にある烏山駅を終点とする20.4kmの路線です。全線が単線という点はローカル線にありがちですが、直流1500Vで電化された区間がわずか100mだけ存在するという興味深い特徴をもっています。

　南北方面に敷かれた東北線の宝積寺駅では、烏山線の列車が発着するプラットホームは一番東側に設けられました。普通列車はディーゼルエンジンのうなり音を上げて烏山駅に向けて出発——といいたいところですが、そのような音は聞こえてきません。聞こえてくるのは大都市の電車のようにインバータの高周波音ですとか、これまた甲高く響く交流モーター音ばかりです。

　実は烏山線の車両は蓄電池電車といいまして、車両に搭載した電池から取り出した電力によってモーターを駆動させて走るのです。蓄電池への充電は、電車が折り返しのために長い時間停車する宝積寺駅と烏山駅とで行います。宝積寺駅はもともと東北線が電化されていることもあって架線を張る必要はありませんが、烏山駅は電化されていませんでしたので、ごく短い距離だけ架線を張りました。これが100mの電化区間の正体です。

　半径300mの急な右カーブを曲がりきって列車の向きが東北東に変わるころ、宝積寺駅周辺の市街地は途切れます。一直線に延びた線路の周囲は水田です。ほぼ平坦な線路の右脇、つまり南側に10本ぐらいでしょうか、広葉樹が立ち並んでいます。これらの木は線路を自然災害から防ぐ鉄道林というよりも、冬に北から吹く季節風から線路沿いの民家を守るために植えられたのでしょう。

●烏山線で活躍中のJR東日本EV-E301系は蓄電池式の電車で、架線が張られていなくても走行は可能だ。

○龍門の滝を行く烏山線の普通列車。滝〜烏山間*

　さらに400mほど進みますと今度は線路の左、つまり北側に広葉樹の林が現れます。木同士の間隔がまばらですので、こちらも鉄道林ではないでしょう。木は2種類くらいでしょうが、いかにも雑木林といった趣で、関東地方ではよく見られます。

　水田地帯を進み続けてきた列車が仁井田駅を出ますと峠越えに挑まなくてはなりません。こう配は最も急で25パーミルとなかなかのもので、上り坂は次の鴻野山駅までの間に1kmほど、下り坂の距離は少々長く4kmほどあり、大金駅に向かいます。

　大金駅を出発しますと、水田と広葉樹や針葉樹の林とが交互に現れるようになりました。滝駅を出たら列車の右側にご注目。少々見づらいですが、幅約65m、高さ約20mの龍門の滝が線路側から流れ落ちているのが見えるでしょう。この滝へは滝駅から徒歩5分ほどで行くことができます。

　木々の間を通り抜けてきた列車が左に曲がって北に向くと、那須烏山市の市街地が現れました。ほどなく終点、烏山駅に到着でして、電車は100mほどしかない架線の下まで進んでしばしの休憩です。

○北関東に線路が敷かれているとはいうものの、冬季にはときに積雪に見舞われる。*

○終点の烏山駅の駅舎は大胆な傾斜屋根を備える。地元の那須烏山市に伝わる山あげ祭から、「山をあげる」瞬間をイメージしてデザインされたという。*

21

JR東日本
鹿島線

香取〜鹿島サッカースタジアム間　　[営業キロ]17.4km

[最初の区間の開業] 1970（昭和45）年8月20日／香取〜鹿島神宮間
[最後の区間の開業] 1970（昭和45）年11月12日／鹿島神宮〜鹿島サッカースタジアム間
[複線区間] なし
[電化区間] 香取〜鹿島サッカースタジアム間／直流1500V
[旅客輸送密度] 1228人

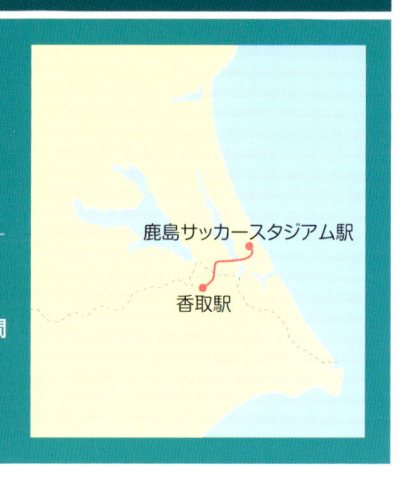

鹿島サッカースタジアム駅
香取駅

高架橋が4割を占める路線

　JR東日本の鹿島線は成田線の香取駅を起点とし、鹿島臨海鉄道の鹿島臨港線や大洗鹿島線の列車が発着する鹿島サッカースタジアムを終点とする長さ17.4kmの路線です。旅客列車は、通常は鹿島神宮駅を境に香取駅側はJR東日本の普通列車、鹿島サッカースタジアム駅側は鹿島臨海鉄道大洗鹿島線から乗り入れる普通列車と分けられています。加えてJR貨物の貨物列車も運転されている点も特徴です。こちらは全線を走破しています。

　鹿島線は1970（昭和45）年8月20日に香取〜鹿島神宮間、同年11月12日に鹿島神宮〜

鹿島サッカースタジアム（当時の駅名は北鹿島）間と、明治、大正から昭和の初めにかけて開業した鉄道が多いなか、比較的新しい路線です。このため、17.4kmのうち高架橋の延長が6.5kmと4割近くを占めているという具合に近代的なたたずまいを見せています。

　香取駅で東西に走る成田線に対し、鹿島線の線路は東へと敷かれました。香取市の市街地が途切れたあたりで北へと進路を変え、成田線と分かれます。左カーブを曲がっている途中で三角形の鋼材を組み合わせたトラス橋が現れ、線路が直線に戻るころには利根川を

○利根川下流の三角州という軟弱な地盤を克服するため、十二橋駅は高架橋上に設けられた。*

○十二橋駅のプラットホームからの眺め。駅の周辺には水田地帯が広がる。

●水郷潮来あやめ園と鹿島線の普通列車。名物のあやめは初夏に見ごろを迎える。

渡る利根川橋りょうです。

利根川を渡り終えても利根川橋りょうは高架橋となって続きます。三角州（さんかくす）に設けられた水田地帯を見下ろしながら、与田浦（よだうら）を渡ると高架橋上に設けられた十二橋（じゅうにきょう）駅が見えてきました。

十二橋とは、駅のある三角州である加藤洲（かとうず）の周囲に架けられている橋の数が12であることにちなんでいます。ただし、駅自体は加藤洲の市街地から南に1kmほど離れていますし、加藤洲の北端から出ている十二橋遊覧船乗り場まではさらに約1km先まで行かなくてはなりません。なぜこの位置に十二橋駅が開設されたのかは不明ながら、位置を北に寄せると次の潮来（いたこ）駅との距離が近くなりすぎたからではないでしょうか。

鹿島線の線路はさらに北上を続け、箱状で金属製の桁（けた）をもつ北利根川橋りょうで常陸利根川（ひたちとねがわ）を渡り終えると茨城県に入り、すぐに潮来駅です。この駅の置かれた潮来市は市街地を流れる前川に沿って発展を遂げてきた水郷として知られています。前川にも十二の橋が架けられており、小舟で回ることが可能です。舟乗り場の近くに「水郷潮来あやめ園」があり、5月末から6月にかけて見ごろを迎えます。

潮来市の市街地を抜けますと線路は東北東に向きを変え、周囲は再び水田となります。針葉樹の林を抜けたかと思うと市街地となり、高架橋上に設けられた延方（のぶかた）駅です。

●鹿島線の普通列車が北浦橋りょうを行く。海上を渡っているかのような雄大な光景だ。

線路の向きは今度は北東に変わり、北浦（きたうら）を渡ります。箱状の金属の桁と一般的ながら54基も連なる北浦橋りょうは、1236mとなかなかの長さです。北浦を渡り終えると、水田地帯を築堤（ちくてい）で見下ろし、トラス橋で国道51号を越えますと普通列車の終点、鹿島神宮駅です。駅の東には鹿島神宮がありますが、駅自体は高架橋上にある近代的な駅で、駅名から受けるイメージとは異なります。

鹿島神宮駅から先の区間は鹿島臨海鉄道大洗鹿島線のページをご覧ください。

22

上毛電気鉄道
上毛線

中央前橋～西桐生間　[営業キロ]25.4km

[最初の区間の開業]1928（昭和3）年11月10日／中央前橋～西桐生間
[最後の区間の開業]—
[複線区間]なし
[電化区間]中央前橋～西桐生間／直流1500V
[旅客輸送密度]2583人

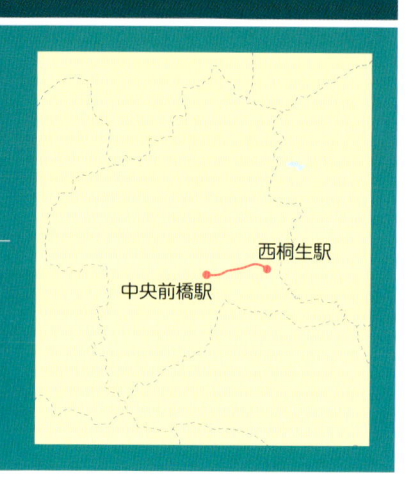

西桐生駅
中央前橋駅

主要な都市を結ぶローカル線

　上毛電気鉄道の上毛線は、群馬県前橋市の中央前橋駅と同じく群馬県桐生市の西桐生駅との間を結びます。前橋市は群馬県の県庁所在地で、人口は33万人余りと、高崎市の約37万人に次いで県内では2番目です。いっぽうの桐生市は絹織物の町として知られ、人口は県内で5番目の約11万人という規模となっています。

　大きな都市同士を行き来する路線ですし、実際に利用しても上毛線にはあまりローカル線という趣はありません。しかし、もともと2両編成の電車が日中に30分おきに運転されるという輸送規模はあまり大きくないですし、加えて並行するJR東日本の両毛線との競争も激しく、なおかつ自家用車の前には劣勢です。こうした結果、上毛線の旅客輸送密度は4000人未満となりまして、ローカル線に分類されました。

○上毛線の列車の大多数に700形電車が用いられている。もとは京王電鉄の井の頭線を走っていた電車だ。

○起点の中央前橋駅は全面ガラス張りの近代的な駅舎が特徴だ。夜になるとあたかもライトアップされたかのように周囲に輝きを放つ。

○1928（昭和3）年11月の開業以来用いられている大胡駅の木造の駅舎。構内の車庫や変電所とともに国の登録有形文化財となっている。

　中央前橋駅はJR東日本両毛線の前橋駅から北北東に約900mのところにあります。北西から南東へと向かって敷かれている線路の南西側に流れる川は広瀬川（ひろせがわ）。水面が線路に近く、堀のようです。

　南東へと進んだ上毛線の普通列車はすぐに左に曲がって北北東を目指します。すぐに駅が現れ、中央前橋駅から1分ほどで城東駅（じょうとう）に到着です。城東という駅名は城東町にあることから命名されました。では城は何かというと、現存しない前橋城です。城東駅、そして中央前橋駅の西側に昔はあり、本丸跡はいまは群馬県庁となっています。

　おおむね東に向きを変えた列車が片貝駅（かたかい）を過ぎますと、線路の周囲に水田が現れました。ここから先は水田地帯かというとそうでもなく、桃ノ木川（もものきがわ）を渡って赤坂駅（あかさか）を過ぎたあたりから再び市街地となります。

　赤坂駅の直前から台地を走るようになり、行く手に上り坂が現れました。こう配は一部で25パーミルと結構急ですが、京王電鉄井の頭線（かしら）からやって来たデハ710形、クハ720形という電車は苦もなく駆け抜けていきます。

　大胡駅（おおご）は上毛線の車両基地である大胡車両

○終点の西桐生駅は昭和の香りが色濃く漂う。*

区が設けられた駅です。大都市圏の鉄道の車両基地に比べれば構内は広くありません。しかし、いままでコンパクトにまとめられた駅ばかりを見た目には広大に感じられます。

　長らく続いた上り坂は粕川駅（かすかわ）で終わりです。今度は下り坂となって西桐生駅を目指します。赤城駅（あかぎ）から先は線路が複線になっているように見えます。列車の右側の線路は東武鉄道（とうぶ）の桐生線でして、次の桐生球場前駅まで並走します。

　桐生線と分かれますとすぐにわたらせ渓谷（けいこく）鐵道（てつどう）わたらせ渓谷線の線路を跨線橋で越え、富士山下駅（ふじやました）を出るとすぐに渡良瀬川（わたらせがわ）を渡ります。前橋市の中心部と変わらぬにぎわいの桐生市の中心を通り抜け、列車は終点の西桐生駅に到着です。

23

ひたちなか海浜鉄道
湊線
勝田〜阿字ケ浦間　［営業キロ］14.3km

［最初の区間の開業］1913（大正2）年12月25日／勝田〜那珂湊間
［最後の区間の開業］1928（昭和3）年7月17日／磯崎〜阿字ケ浦間
［複線区間］なし
［電化区間］なし
［旅客輸送密度］1658人

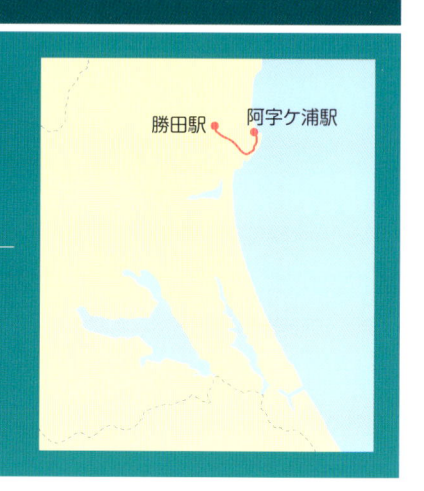

勝田駅　阿字ケ浦駅

水田地帯を抜け、太平洋を目指す

　ひたちなか海浜鉄道湊線はJR東日本常磐線の列車が発着する勝田駅を起点とし、ひたちなか市の阿字ケ浦駅を終点とする14.3kmの路線です。線路は勝田駅から太平洋にほど近い那珂湊駅までは東南東に進み、ここから太平洋沿いに北上して阿字ケ浦駅を目指します。

　湊線の勝田駅は常磐線と一緒です。南北に敷かれた常磐線と同じプラットホームを使用

しており、一番東側から発着します。とはいえ、プラットホームのほぼ中央には、湊線と常磐線とを隔てる柵が設けられており、改札口を通らなければ行き来できません。

　常磐線の起点である日暮里駅に向かって出発した湊線の普通列車は、400mほど常磐線と並走した後、東南東へと分かれていきます。なかなか急な左カーブを曲がる途中で、右側にプラットホームが設けられた日工前駅に到

○3両連結のディーゼルカーが水田地帯を快走する。金上〜中根間

◎那珂湊駅構内の車庫に休むひたちなか海浜鉄道のディーゼルカー群。同社の本社もこの駅に設けられている。*

◎那珂湊駅から900mほど歩いたところにある「那珂湊おさかな市場」では新鮮な魚が味わえる。

着です。

日工前とは、この駅のすぐ南側に日立工機（ひたちこうき）（現在の工機ホールディングス）という会社の勝田工場があることにちなんで名付けられました。利用者の多くは同社の社員だそうで、駅名を略称としたところに同社がいかに地元に浸透しているかがうかがえます。

勝田駅を中心に広がっていた住宅地は金上（かねあげ）駅を過ぎますと途切れてしまい、線路の両側は水田地帯です。線路はほぼ直線に敷かれており、平坦（へいたん）基調であることも伴って普通列車に用いられているディーゼルカーは快調に飛ばしていきます。

列車が中丸川（なかまるがわ）を渡ってすぐ、国道245号が線路の上を越えていくあたりで高田の鉄橋（たかだ てっきょう）駅に到着です。駅周辺に住宅が増えたことから2014（平成26）年10月1日に開設と、湊線で最も新しい駅の名は先ほど通った中丸川橋りょうの地元での呼び名だそうです。

市街地のなかを通り抜けた列車は那珂湊駅に着きました。この駅には那珂湊機関区とい

う車両基地がありまして、広々とした構内には多数のディーゼルカーが休んでいます。

那珂湊駅から東南東に900mほど歩きますと、那珂湊漁港です。ここで水揚げされた新鮮な魚が漁港に隣接の「那珂湊おさかな市場」で味わえます。

左にカーブして東北東、次いで北に向きを変えた列車が目指す先は終点の阿字ケ浦駅。那珂湊の市街地は平磯（ひらいそ）駅を過ぎたあたりで終わり、水田地帯を一直線に進みます。線路は太平洋にほど近いところを通りますが、やや内陸に敷かれていることもあり、太平洋を見ることはできません。やがて市街地が現れ、阿字ケ浦駅です。駅から400mほどのところに阿字ヶ浦海水浴場があります。

◎湊線の終点阿字ケ浦駅。ひたちなか海浜鉄道ではこの駅からさらに3kmほど先の「国営ひたち海浜公園」まで線路を延ばす予定だという。

24

真岡鐵道
真岡線
下館〜茂木間　[営業キロ] 41.9km

[最初の区間の開業] 1912 (明治45) 年4月1日／下館〜真岡間
[最後の区間の開業] 1922 (大正9) 年12月15日／七井〜茂木間
[複線区間] なし
[電化区間] なし
[旅客輸送密度] 1233人

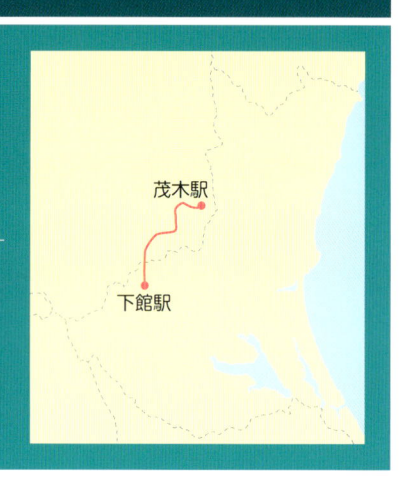

茂木駅

下館駅

国鉄・JRから引き継がれて誕生

　真岡鐵道の真岡線の起点は下館駅です。この駅は茨城県筑西市の中心にありまして、JR東日本の水戸線や関東鉄道の常総線の列車も発着しています。いっぽう、終点の茂木駅は茨城県茂木町のやはり中心に設けられました。

　もともと真岡線は国有鉄道の真岡軽便線として開業したという歴史をもっています。しかし、1970年代後半の旅客輸送密度が4000人を下回ったために廃止の対象となりました。そこで、沿線の自治体や企業が出資して第三セクター鉄道の真岡鐵道を設立し、国鉄からJR東日本へと引き継がれた後の1988（昭和

63）年4月11日に真岡鐵道として再スタートを切り、今日に至っています。

　かつて国鉄、JR東日本の路線であったこともあり、真岡線の下館駅の場所は水戸線と同じ構内です。プラットホームも共用していますが、中央に柵を建てて、改札口が分けられました。

　西側が小山駅、東側が友部駅をそれぞれ目指す水戸線に対し、真岡線の線路は西向きです。真岡線の普通列車は200m走ったところで北側へ、つまり右に曲がり、水戸線と分かれます。偶然でしょうか。常総線の線路もこ

真岡鐵道で活躍しているモオカ14形ディーゼルカー。「モオカ」とはもちろん真岡鐵道を表し、「14」とは初めて導入された2002（平成14）年にちなんでいる。*

起点の下館駅はJR東日本 両毛線と構内を共有する。SLこと蒸気機関車の鉄道である点をアピールしているのも特徴だ。*

○桜と菜の花との中を行く蒸気機関車による列車。同社は2両の蒸気機関車を保有しており、観光列車として人気が高い。*

こで南側、つまり左に曲がって水戸線から去っていきます。

　筑西市の市街地は割合広大でして、真岡駅に着くまでほとんど途切れることがありません。下館駅の駅前ですとか、途中駅のプラットホーム、沿線には桜の木が目立ち、春には美しく咲き誇ります。お花見の目的で乗っても決して損はないでしょう。

　関東平野をほとんど一直線に北上してきた列車が真岡駅に近づくと、前方右側に巨大な蒸気機関車の先頭部分が3両見えてきます。実をいいますと、1両は真岡駅の駅舎、もう2両は隣接するSLキューロク館の建物と雨除けです。

　真岡鐵道は観光客にも利用してもらおうと、2両の蒸気機関車をもっていまして、観光列車の先頭に立っています。蒸気機関車の町であることがよりわかりやすいよう、駅舎も蒸気機関車を模して建て替えられ、またSLと

呼ばれる蒸気機関車を保存してSLキューロク館で展示しているのです。

　列車が北真岡駅を出たあたりで線路の周囲には水田が目立ってきました。この駅から五行川を渡るまでの約1kmは桜並木です。しかも、桜が満開のころには線路脇の菜の花もやはり満開で、ピンクと黄色のなかを列車は進みます。

　市塙駅を出てから右に曲がったあたりから上り坂が始まりました。笹原田駅から終点の茂木駅にかけては少々山あいの道のりです。線路の右側に逆川が寄り添い、川沿いに植えられた桜が見えてきますと、間もなく列車は茂木駅に到着します。

○蒸気機関車をイメージしてデザインされた真岡駅の駅舎（写真左）とSLキューロク館（写真右）。「キューロク」とは館内に展示されている蒸気機関車の形式が9600形であることから名づけられた。

25

関東鉄道
竜ヶ崎線 佐貫〜竜ヶ崎間 ［営業キロ］4.5km
常総線 取手〜下館間 ［営業キロ］51.1km

［最初の区間の開業］1900（明治33）年8月14日／佐貫〜竜ヶ崎間（竜ヶ崎線）
　　　　　　　　　1913（大正2）年11月1日／取手〜下館間（常総線）
［最後の区間の開業］—
［複線区間］取手〜水海道間（常総線）
［電化区間］なし
［旅客輸送密度］2364人（竜ヶ崎線）　3642人（常総線）

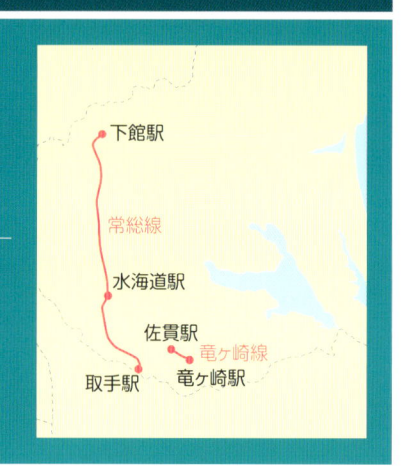

2つの路線をもつ茨城県の私鉄

　茨城県の私鉄である関東鉄道は、JR東日本常磐線の佐貫駅と取手駅をそれぞれ起点として竜ヶ崎線、常総線の2つの路線を展開しています。区間は竜ヶ崎線が佐貫駅と竜ヶ崎駅との間の4.5km、常総線が取手駅とJR東日本水戸線や真岡鐵道真岡線の列車も発着する下館駅との間の51.1kmです。

　どちらの路線とも旅客輸送密度は4000人を下回っています。でも、常総線のうち取手〜水海道間17.5kmは複線区間でして、朝のラッシュ時には1時間に10本もの列車が走り、日中も列車は1時間当たり4本と大都市の通勤路線といってよいでしょう。いっぽう、単

線区間の水海道〜下館間33.6kmは1時間当たり1〜4本と列車の本数は減りまして、ローカル線の趣を見せています。したがって、本書では竜ヶ崎線の全線と常総線の水海道〜下館間とを紹介しましょう。

　竜ヶ崎線の佐貫駅は、南は日暮里駅、北は岩沼駅を向く常磐線の佐貫駅と同じ構内にあります。でも、竜ヶ崎線の普通列車は南に向かって進むとすぐに東南東に分かれてしまい、常磐線の線路と並走することはありません。

　線路の周囲は市街地で、時折水田地帯が現れます。関東平野のまっただなかに敷かれている路線らしく、終点竜ヶ崎駅までほぼ直線でして、しかもこう配もほとんどありません。

　入地駅の周辺で水田が現れ始め、ローカル線の趣が出てきました。でも、竜ヶ崎駅が近づくと再び市街地となり、人口約8万人の茨城県龍ケ崎市の中心に到着となります。ここまでで7分ほどの旅でした。

　さて、常総線の水海道駅は2面のプラットホームに3本の線路が接するという構造をもち、ターミナルのような堂々とした駅です。

竜ヶ崎線の起点、佐貫駅は都会的な装いで、東京のベッドタウンに設けられた駅といってよい。

竜ヶ崎線で用いられている関東鉄道キハ2000形ディーゼルカー。1両で運転されるほか、朝夕のラッシュ時などでは2両連結されることもある。*

路線名と同じ常総市を代表する駅といえるでしょう。

　普通列車は水海道駅を出発すると、東北東から北北西へと向きを変えて関東平野を一直線に進みます。常総市の市街地は中妻駅を過ぎたあたりまで。ここから先は線路の周囲は水田地帯となりまして、高い木々もほとんど見当たらないので、ほぼ直線でしかも平坦な線路をディーゼルカーは快調に飛ばしていきます。

　駅と駅との間は水田地帯、駅に近づくと市街地と繰り返して列車は宗道駅に到着です。水海道駅から1駅取手駅寄りの小絹駅からこの宗道駅までの間は、2015（平成27）年9月9日から11日にかけて襲来した関東・東北豪雨によって線路が浸水するといった大きな被害を受けました。最後まで不通となっていた水海道駅と宗道駅から1駅下館駅寄りの下妻駅との間は同年10月10日に復旧しましたが、沿線にはいまだに大きな被害の跡が残されています。

　比較的大きな市街地のある下妻市の下妻駅

水海道駅を境に常総線は大きく様相を変える。取手駅寄りは住宅地を行き、線路も複線であるいっぽう、下館駅寄りは水田地帯を行き、線路も単線だ。

JR東日本 両毛線や真岡鐵道真岡線との乗り換え駅、終点の下館駅はこじんまりとしている。*

を出ますと、景色は再び水田地帯です。特に大きな変化もなく、やがて終点の下館駅が見えてきました。

● 著者略歴

梅原 淳（うめはら・じゅん）

1965年生まれ。三井銀行（現在の三井住友銀行）、月刊「鉄道ファン」編集部などを経て、2000年に鉄道ジャーナリストとして独立。『ビジュアル 日本の鉄道の歴史』全3巻（ゆまに書房）『JRは生き残れるのか』（洋泉社）『定刻運行を支える技術』（秀和システム）をはじめ多数の著書があり、講義・講演やテレビ・ラジオ・新聞等へのコメント活動も行う。

ワクワク!! ローカル鉄道路線
南 東北・北関東編

2018年8月31日　初版1刷発行

著者　梅原 淳

発行者　荒井秀夫

発行所　株式会社ゆまに書房
　　　　東京都千代田区内神田2-7-6
　　　　郵便番号　101-0047
　　　　電話　03-5296-0491（代表）

印刷・製本　株式会社シナノ

本文デザイン　川本 要

©Jun Umehara 2018　Printed in Japan

ISBN978-4-8433-5330-1 C0665